JE N'AVAIS PLUS LE CHOIX, IL FALLAIT FUIR

PAROLES DE RÉFUGIÉS

JE N'AVAIS PLUS LE CHOIX, IL FALLAIT FUIR

PAROLES DE RÉFUGIÉS

essai

{ LES Petits matins }

Couverture : Thierry Oziel
Maquette : Stéphanie Lebassard
Cartographie : Arnaud Lebassard

Photographies : © Arno Brignon

Rédaction : Florence Boreil
Témoignages recueillis par Florence Boreil, Pierre Courcelle, Aline Daillère,
Alain Gleizes, Marie Larger et Luiza Toscane

© Les petits matins, 2013
Les petits matins, 31, rue Faidherbe, 75011 Paris
www.lespetitsmatins.fr

ISBN : 978-2-36383-087-6
Diffusion Seuil
Distribution Volumen

Atiq Rahimi est écrivain et réalisateur. Il a une double nationalité, afghane et française, depuis qu'il a obtenu l'asile en France après avoir fui l'Afghanistan en 1984. Il a reçu le prix Goncourt en 2008 pour son roman *Syngué Sabour, pierre de patience*, adapté au cinéma en 2013.

L'EXIL, CETTE PAGE BLANCHE À REMPLIR
Par Atiq Rahimi

L'exil s'impose au moment où l'on ressent un déca-lage par rapport à ce que l'on veut faire, ce que l'on veut être, ce que l'on veut dire. Quand on ne peut ni exprimer ce que l'on pense ni faire ce que l'on aime, on s'abîme dans le vide. Et on bascule alors dans une espèce d'inertie à l'intérieur de son propre pays, dans le silence ou dans le mensonge. Face à cette crise existentielle, trois échappatoires sont possibles : l'adaptation, le combat ou la fuite. J'ai choisi de fuir l'Afghanistan, en proie à la guerre avec les Soviétiques, en 1984.

En termes d'idéologie, j'étais très éloigné de la doctrine qui régnait à l'époque en Afghanistan. Je ne pouvais pas m'adapter. Même si, plus jeune, j'avais adhéré intellectuellement aux idées de gauche et anarchistes, je m'étais rapidement aperçu que ce n'étaient que des dogmes, grâce au voyage que j'avais effectué en Inde en 1978, juste après le coup d'État des communistes. J'avais 16 ans, je quittais mon pays pour la première fois de ma vie et j'ai réalisé là-bas que je n'étais pas qu'un produit social, religieux ou cultu-rel, mais un être humain, un individu à part entière. Cela a été une révélation.

Auparavant, je croyais à l'existence d'un seul dieu, d'une seule religion, d'une seule politique, d'une seule famille. En persan, un proverbe énonce que l'homme est semblable à une grenouille au fond d'un puits. Un jour, on demande à l'animal quelle est la grandeur du ciel, et ce dernier répond : « Il est aussi grand que la bouche du puits. » Il n'y a pas d'autre horizon. Je considérais l'univers à travers cette ouverture restreinte.

L'Inde propose une autre manière de penser et beaucoup de façons de croire. Vivre selon un dogme n'y a plus de sens, ce qui permet de relativiser les choses. Un professeur sikh doté d'une culture extraordinaire m'a appris le bouddhisme et l'hindouisme. La religion, ne serait-ce qu'à travers la notion de réincarnation – qu'on y croie ou non –, pousse à réfléchir sur ce qui définit un être humain et à s'interroger, en fin de compte, sur ce à quoi il appartient. Bien sûr, il possède une réalité génétique mais, au-delà de ça, il est composé de mille et une choses.

Derrière la pensée bouddhiste, je voyais toute cette pensée mystique persanophone censée venir de l'islam, d'après mes cours en Afghanistan. En vérité, elle s'est abondamment nourrie de la philosophie indienne, du zoroastrisme, du christianisme et du judaïsme. Le but n'est pas au bout du chemin mais sur le chemin. Quand j'ai lu dans les *Upanishad*, les enseignements hindous, ce passage magnifique : « Toi aussi, tu es Cela », je me suis aperçu que je n'étais pas un élu de Dieu parce que j'étais musulman, j'ai compris que je disposais de ma propre individualité.

Lorsque, d'un seul coup, vous vous sentez étranger à ce milieu dont vous faites partie, génétiquement et culturellement, le décalage surgit. Évidemment, cette étrangeté va se révéler à travers des circonstances particulières. Pour moi, en plus d'un désaccord idéologique avec mon frère, qui avait adhéré au communisme, il y a eu la censure dont j'ai fait l'objet.

J'ai commencé à écrire très jeune, sous le pseudonyme de Kajbon («racine de sapin»), des articles et des critiques de films ou de livres. Dans l'un de mes textes, l'analyse d'un long-métrage consacré à une grande figure perse révoltée contre l'invasion arabe au VIIIe siècle, je décriais les Soviétiques qui, d'un côté, vénéraient ce personnage et, de l'autre, réprimaient la résistance afghane. Le lendemain de sa publication, les exemplaires du journal ont été retirés de la vente. Un de mes articles intitulé « Le désespoir littéraire », consacré à l'écriture de Samuel Beckett, a aussi été censuré. Et quand j'étais à la faculté, j'ai été convoqué par le Comité de la jeunesse communiste pour avoir parlé d'Albert Camus, un auteur « bourgeois », dans un exposé !

Progressivement, l'écart à la fois idéologique et existentiel entre la société afghane et moi s'est creusé. Je devais choisir : fuir ou rester. Mais rester pour quoi faire ? D'autant que j'allais être obligé, comme tous les jeunes, d'effectuer mon service militaire et de partir au front. Je ne voulais pas me battre. Me battre contre qui ? Me battre au nom de quoi ?

En 1984, j'ai quitté clandestinement mon pays. C'était une période d'exode massif et une période charnière dans la guerre afghano-soviétique. Les États-Unis avaient confié le contrôle de la résistance afghane aux Saoudiens, en particulier à Oussama Ben Laden, en les armant de lance-missiles Stinger. Les Soviétiques bombardaient et la résistance afghane attaquait.

Nous étions un groupe de vingt-quatre personnes, dont une seule femme, mon épouse. Nous avions acheté un cheval à notre passeur parce qu'elle ne pouvait pas se déplacer à pied. Nous marchions dans la neige avec un seul objectif en tête : rallier la frontière du Pakistan. Nous passions souvent la nuit dans des mosquées, mais nous n'arrivions pas à dormir, nous faisions des cauchemars. Un jour, nous sommes arrivés dans un village attaqué quelques jours auparavant par l'Armée rouge, où il n'y avait pas grand-chose à manger ni à faire. Comme le chemin qui menait à la frontière était parsemé de mines antipersonnel, nous devions rester là un mois, voire deux, pour attendre la fonte des neiges et traverser les cols vers le Pakistan. Cela a été un moment extrêmement dur, parce que le retour à Kaboul était impossible, synonyme de prison pour moi, et parce que des moudjahidines risquaient de nous embarquer à tout instant pour participer aux combats.

Une nuit, le chef de jeunes résistants qui nous avaient rejoints nous a proposé de partir dès le lendemain. Il a envoyé un de ses hommes baliser le chemin à coups de tir, puis il est parti à cheval en suivant les impacts de balles. « Si jamais je saute, vous changez de passage », a-t-il dit. C'était un homme admirable. Nous posions nos pieds sur les traces de sabots. Nous avons marché ainsi pendant quatre heures ; le moindre faux pas aurait été fatal. Nous demandions sans arrêt au passeur : « Alors, quand est-ce qu'on arrive ? », et chaque fois il répondait la même chose : « C'est juste après cette montagne. » La marche a duré neuf jours et neuf nuits.

Une fois à la frontière, le passeur nous a dit de jeter un dernier regard sur notre terre natale. Tout ce que nous voyions, c'était une étendue de neige avec les traces de nos pas. Et, de l'autre côté de la frontière, un désert semblable à une feuille de papier vierge. Je me suis dit que l'exil serait comme ça, comme une page blanche qu'il fallait remplir.

Au Pakistan, j'ai déposé une demande d'asile politique auprès de l'ambassade de France et je suis arrivé ici le 30 mars 1985, à l'aube, sous un ciel dégagé. Une amie est venue me chercher à l'aéroport avec son mari. Nous avons traversé tout Paris : c'était magique, un rêve magnifique.

Il y a une histoire de ce personnage légendaire appelé Mulla Nasr Eddin, à qui il arrive mille et une aventures, qui est à l'image de l'exil : « Une nuit, un passant le croise dans la rue en train de chercher quelque chose sous un lampadaire et lui demande :

– Que cherches-tu ?

– Je cherche la clé de ma maison.

– Je peux t'aider.

Ils se mettent à la chercher ensemble, mais ne trouvent rien. Alors, l'homme interroge Mulla Nasr Eddin :

– Es-tu sûr de l'avoir perdue ici ?

– Non, je l'ai perdue chez moi.

– Pourquoi ne cherches-tu donc pas là-bas ?

– Chez moi, il n'y a pas de lumière. »

La vie d'un futur exilé ressemble à une maison plongée dans l'obscurité et la terreur. Chez soi, on a perdu la clé de son identité, de sa liberté et de sa conscience. On part la chercher ailleurs, là où il y a de la lumière, tout en sachant qu'on ne la trouvera jamais à cet endroit-là. Ainsi l'exilé porte-t-il un regard nostalgique sur son pays d'origine, qui s'apparente de plus en plus à un paradis perdu. On idéalise sa terre natale en chassant toutes les choses négatives qui y existaient. Elle est comme purifiée. Mais, après les années d'exil, le retour tourne à la déception. Le pays a changé, tout comme soi. Et la nostalgie renforce la distance avec ses origines. Lorsque je suis retourné en Afghanistan après la chute des talibans en 2002, ce n'étaient pas dix-huit années d'exil qui s'étaient écoulées, mais un temps bien plus long encore. Tout à coup, on se sent de nulle part. On se rend là-bas en croyant retrouver la clé, mais la serrure a changé ou a complètement rouillé.

Alors certains sombrent dans la dépression totale ou dans le mal-être, comme quelques membres de ma famille installés aux États-Unis qui ne réussissent pas à s'ouvrir à autre chose. Ils ne peuvent pas rentrer dans leur pays, ils vivent à l'écart et ont créé leur communauté dans une société américaine qui contribue justement au communautarisme.

La seule solution qui reste, pour ne pas sombrer, c'est de fabriquer cette clé dans notre imaginaire ; par exemple, pour moi, en écrivant et en filmant.

Propos recueillis par l'ACAT

« Comment faites-vous pour écouter toutes ces histoires d'exil, souvent douloureuses ? », demanda un jour Christian Kasongo, un des réfugiés que l'Action des chrétiens pour l'abolition de la torture (ACAT) recevait. Cette question n'appelait pas une réponse unique mais interrogeait, en définitive, les raisons d'être de l'association, créée en 1974 à l'initiative de deux femmes protestantes bouleversées par la pratique de la torture au Sud-Vietnam, alors en guerre. Bientôt rejointes par d'autres, elles s'étaient donné pour but de combattre la torture partout dans le monde, sans distinction idéologique, ethnique ou religieuse. Puis l'abolition de la peine de mort fut ajoutée au mandat de l'ACAT, ainsi que la défense du droit d'asile.

Chaque année, l'ACAT reçoit à son siège parisien deux cents candidats à l'asile de toutes nationalités et religions. Ils viennent frapper à notre porte essentiellement grâce au bouche-à-oreille. Certains témoignent des tortures ou des mauvais traitements subis dans leur pays, d'autres craignent des menaces pour leur vie en cas de retour chez eux. La fuite leur est apparue comme la seule issue possible. L'aide proposée par l'ACAT est exclusivement juridique mais présente à toutes les étapes de la demande d'asile. Comprendre la procédure, écrire son histoire, se préparer à la raconter, exercer les recours en cas de rejet de la demande, faire venir sa famille une fois la protection obtenue. Toute notre énergie est dirigée vers un seul objectif : permettre aux exilés d'obtenir la protection juridique de la France en étant reconnus réfugiés et d'exercer les droits qui s'y rattachent.

Il y a plus d'échecs que de réussites tant le parcours d'asile est semé d'embûches. Mais notre raison d'être est d'accompagner ces hommes et ces femmes en utilisant notre savoir-faire juridique et notre connaissance de la situation qui prévaut dans leur pays d'origine pour exposer au mieux leurs craintes. Nous ne sommes qu'un maillon de la chaîne aux côtés des autres organisations qui les accompagnent, des interprètes, des travailleurs sociaux qui les soutiennent, des médecins et psychologues qui les soignent ou des avocats qui les défendent.

Parmi tous ces récits qui nous sont confiés à un moment du parcours d'asile, certains nous ont davantage frappés ou émus. Au-delà des souffrances endurées, les paroles des réfugiés ont forcé notre admiration par leur volonté de résister et celle de survivre.

Trois temps peuvent définir la vie d'un exilé : celui des persécutions dans son pays d'origine, le temps de l'errance à travers les routes empruntées pour gagner l'Europe, puis la survie en France durant l'examen de la demande d'asile. C'est de ces instants de vie que nous avons voulu témoigner à travers cet ouvrage militant, engagé pour la défense du droit d'asile, pour porter un regard différent sur les réfugiés. L'asile, c'est l'ultime liberté qui reste lorsqu'on a déjà perdu toutes les autres : celles de s'associer, de se réunir, de s'exprimer librement, de se convertir ou tout simplement de vivre en sécurité.

NOTE AU LECTEUR

Délibérément, nous avons choisi d'évoquer les réfugiés sous le vocable de « candidat à l'asile », de « réfugié » ou de « réfugié potentiel », sans distinguer entre les demandeurs d'asile en cours de procédure et les réfugiés proprement dits. Le premier terme désigne l'étranger attendant la décision sur sa demande de protection internationale. Le réfugié est celui à qui la protection a déjà été reconnue sur le fondement d'un texte international, la Convention de Genève du 28 juillet 1951 relative au statut des réfugiés.

En utilisant indistinctement ces termes, nous avons voulu signifier notre attachement au caractère recognitif du statut de réfugié. Celui qui fuit son pays pour certains motifs précisément énumérés dans la Convention de 1951 est un réfugié. La procédure de détermination de son statut de réfugié ne fait que reconnaître cette qualité juridique qui préexistait.

Par mesure de précaution, les témoins apparaissent sous des noms d'emprunt, à l'exception de M. Bassel Masri.

PREMIÈRE PARTIE
LÀ-BAS. FUIR LES PERSÉCUTIONS

Les multiples visages du réfugié

L'imaginaire collectif associe facilement le réfugié à une figure légendaire incarnée par le résistant face à l'oppression, le dissident politique célébré par la communauté internationale, le défenseur des droits de l'homme notoirement reconnu pour son engagement. Il existe envers ce héros une empathie presque naturelle et une volonté morale de lui venir en aide, tant son juste combat nous parle. Lui ouvrir les portes d'une protection dans un autre pays que le sien pour lui permettre de poursuivre ce combat est presque une évidence.

Cependant, cette représentation relève davantage du mythe que de la réalité. Ces réfugiés existent, certes, mais ils ne représentent qu'une minorité des personnes fuyant leur pays, et ils trouveront aisément une terre d'accueil. Dans leur ensemble, les visages des réfugiés sont bien plus divers et anonymes. Pour tous ces hommes, femmes et enfants, le droit d'asile ne va pas de soi. Ils devront faire face au soupçon qui pèsera nécessairement sur leur histoire et conquérir le droit à une protection après avoir franchi une multitude d'obstacles.

Qui sont les réfugiés ? Parmi eux, il y a bien sûr des militants persécutés pour leur action politique, des partisans de mouvements réclamant l'autonomie : Oromos d'Éthiopie, Sahraouis au Maroc, indépendantistes de l'enclave angolaise du Cabinda, etc. Leur engagement politique, réel ou supposé, va les conduire à prendre la fuite par peur des représailles. Mais les réfugiés, ce sont aussi leurs proches, ceux dont le seul tort est leur lien avec un époux ou une mère recherchés par les autorités ou des groupes rebelles, et qui seront victimes par ricochet de la répression.

Il y a aussi des acteurs associatifs, des journalistes ou des blogueurs dont la liberté de parole est devenue gênante pour le pouvoir. Des membres de minorités religieuses harcelées, discriminées et menacées, ou encore des personnes accusées de prosélytisme ou de blasphème. Des victimes d'esclavage, issues de classes sociales, de castes ou d'origines ethniques considérées comme « inférieures ». Ou celles et ceux qui ont tout simplement dit « non » face à une pratique heurtant leur conscience professionnelle et qui se retrouvent à leur tour contraints de fuir.

La question du genre est également présente parmi les récits de vie des réfugiés. Les fillettes risquant l'excision, les femmes s'opposant à un mariage forcé, les personnes persécutées en raison de leur orientation sexuelle sont autant d'individus obligés de s'exiler.

D'autres peuvent avoir quitté leur pays pour venir étudier ou travailler en France, mais un coup d'État, une révolution, une guerre ou une menace privée les empêchent de rentrer chez eux, où ils deviendront des cibles.

L'expérience du traumatisme et les multiples persécutions

Que fuient les réfugiés ? Des persécutions sous les formes les plus diverses : tentatives d'assassinat, meurtre ou disparition d'un membre de la famille ou du clan sonnant comme un dernier avertissement, violences sexuelles, arrestations et détentions arbitraires, tortures, menaces de mort, destructions de biens, affaires fabriquées de toutes pièces et condamnations pénales abusives, ou encore harcèlement et discriminations. La liste est longue et variée, l'imagination humaine étant dans ce domaine sans limites.

Le viol revient fréquemment dans les récits des réfugiés qui osent en parler. Il est utilisé à la fois comme arme punitive et moyen d'intimidation. Même si les femmes en sont les premières victimes, les hommes ne sont pas épargnés.

Les persécutions peuvent n'être qu'une menace planant sur la tête du réfugié, mais dont la gravité commande de fuir. Elles ne cessent pas toujours avec sa fuite : après le départ du réfugié, elles s'abattent parfois comme des dominos sur des familles entières, contraintes à leur tour à l'exil.

Certains pays en proie à des crises politiques et meurtrières majeures, parfois depuis plusieurs décennies, alimentent plus que d'autres le nombre de réfugiés. L'Afghanistan demeure dans le monde l'un des premiers pays d'origine des réfugiés, suivi de l'Irak, de la Somalie, du Soudan et de la République démocratique du Congo[1]. D'autres pays, après avoir traversé des guerres ou des régimes autoritaires, connaissent une relative accalmie, mais leur appareil d'État demeure fragile et corrompu. La pratique tortionnaire y persiste, comme en Guinée ou en Mauritanie, et leurs citoyens tombant entre les mains des forces de l'ordre risquent fortement d'y être exposés.

---

1. *Une année de crises*, « Tendances mondiales 2011 », Haut-Commissariat des Nations unies pour les réfugiés (HCR).

Des auteurs publics ou privés à l'origine des violences

Qui persécute ? L'appareil répressif de l'État totalitaire ou autoritaire, mais aussi des personnes ou des groupes privés, des réseaux mafieux, des rebelles, responsables d'exactions contre lesquelles les autorités ne peuvent ou ne veulent pas lutter. Ces auteurs jouissent d'une totale impunité. Parfois, l'État ne protège pas parce qu'il en est tout simplement incapable, faute d'un système judiciaire garantissant les droits des personnes ou d'institutions étatiques suffisamment solides. Par exemple, en Colombie, le conflit opposant les guérillas, des groupes paramilitaires et l'armée a entraîné le déplacement de centaines de milliers de personnes, prises en tenailles entre ces différents groupes exerçant à la fois rackets, spoliations foncières, violences et enlèvements. Elles se sont installées sur une autre partie du territoire colombien. Malgré la prise en charge de ces déplacés internes et leur indemnisation par l'État, les risques de représailles n'ont pas cessé pour certains d'entre eux. Leur seul moyen de sauver leur vie reste la fuite.

Les grands principes du droit d'asile

Celles et ceux qui ont fui leur pays sont à la recherche d'une protection. Les soubresauts de l'histoire ont d'abord conduit les pays d'accueil à organiser au cas par cas le sort des populations victimes de guerres ou de révolutions. Cela a notamment été le cas en 1917 pour les Russes fuyant la révolution, en 1924 pour les Arméniens s'échappant de Turquie, ou encore en 1936 pour les Allemands fuyant les exactions du régime hitlérien.

La Seconde Guerre mondiale va changer la donne en conduisant les États à adopter une définition plus globale du réfugié, qui s'intéresse aux raisons qui l'ont conduit à fuir. Sous l'égide des Nations unies, la Convention de Genève relative au statut des réfugiés est adoptée le 28 juillet 1951. Elle oblige les États à protéger ceux qui viennent trouver refuge chez eux parce qu'ils craignent de graves menaces en raison de leur race, de leur religion, de leur nationalité, de leur appartenance à un certain groupe social ou de leurs opinions politiques (article 1A2 de la Convention de Genève), ou parce qu'ils ont déjà subi dans leur pays des persécutions. C'est ce qu'on appelle l'asile conventionnel.

Lors de son adoption, ce texte ne s'intéressait toutefois qu'aux personnes devenues des réfugiés par suite d'événements survenus en Europe ou ailleurs avant le 1er janvier 1951. Le protocole de New York de 1967 a étendu son application à tous les réfugiés sans limitation temporelle ni spatiale. Le Haut-Commissariat des Nations unies pour les réfugiés (HCR) est le gardien de ces traités auxquels sont parties 148 États, dont la France.

Au fil du temps, l'asile, d'abord lieu inviolable où se réfugiait une personne, s'est donc mué en une liberté fondamentale protégée par le droit international. Selon la Convention de Genève, nul ne peut être refoulé « sur les frontières des territoires où sa vie ou sa liberté serait menacée » (article 33 de la Convention). En acceptant d'offrir une protection, les États renoncent à poursuivre les réfugiés arrivés sur leur territoire sans y être autorisés.

Le droit d'asile en France

En France, des origines plus lointaines de ce droit à une protection peuvent être recherchées dans notre patrimoine historique. L'asile fut religieux, prérogative royale, puis républicain avec la Constitution montagnarde du 24 juin 1793, jamais appliquée, qui énonçait que le peuple français « donne asile aux étrangers bannis pour la cause de la liberté. Il le refuse aux tyrans ».

Le préambule de la Constitution du 27 octobre 1946, partie intégrante de notre Constitution de 1958, est dans la même veine : « Tout homme persécuté en raison de son action en faveur de la liberté a droit d'asile sur les territoires de la République. » Ce « combattant de la liberté » incarne cette figure mythique du réfugié, par opposition à un « asile victimaire » subi par des personnalités moins emblématiques mais représentant l'immense majorité des réfugiés. Chaque année, moins d'une dizaine de personnes sont reconnues réfugiées au titre de cet asile constitutionnel.

En France, trois formes de protection coexistent donc : l'asile constitutionnel, réduit à peau de chagrin ; la protection issue de la Convention de Genève, offrant une plus grande pérennité ; et celle plus temporaire connue sous l'appellation de « protection subsidiaire ». Elle bénéficie à ceux qui ne sont pas éligibles au statut de réfugié prévu par la Convention de Genève ou la Constitution, mais qui peuvent être exposés dans leur pays à la peine de mort, à la torture, à de mauvais traitements ou à la nécessité de fuir la guerre. Les deux premières permettent au réfugié de séjourner en France durant dix ans renouvelables, la dernière pendant un an renouvelable. La protection conventionnelle comme la protection subsidiaire peuvent toutes deux prendre fin dès lors que les risques de persécution n'existent plus.

Des victimes de violences conjugales ou familiales, des personnes menacées par des groupes islamistes, en Algérie par exemple, ou risquant un enrôlement forcé par les groupes talibans en Afghanistan ou au Pakistan sont éligibles à la protection subsidiaire dès lors que leur État ne les protège pas. Comme celles contraintes à un service militaire infini avec des exactions à la clé en cas de désertion, en Érythrée notamment, ou celles fuyant des vendettas ou des crimes d'honneur en Albanie. Ceux qui ont fui la guerre en 2008 au Sri Lanka lors de l'offensive armée contre le LTTE (Tigres de libération de l'Eelam Tamoul) dans le nord de l'île comme ceux qui, depuis 2011, ont fui les tueries en Syrie peuvent être protégés à ce titre.

Toutefois, quelle que soit la protection, elle ne s'offre pas à tous. L'asile, « c'est fuir l'injustice et non la justice ». Autrement dit, les personnes ayant commis des crimes graves ou participé à des crimes de guerre, des crimes contre l'humanité ou des actes de terrorisme seront nécessairement et légitimement exclues d'une protection au titre de l'asile.

Les voies de l'exil

Pour certains, l'événement qui déclenche le départ, après de multiples violences ou menaces, est l'arrestation de trop, le risque grandissant et la crainte de ne pas y survivre cette fois-ci. Pour d'autres, un seul événement suffit à les faire fuir.

Les réfugiés qui arrivent jusqu'en France sont d'abord ceux qui ont su et pu mobiliser leurs réseaux familiaux, amicaux, communautaires, professionnels ou religieux pour se cacher, vivre éventuellement quelque temps dans la clandestinité avant d'organiser leur départ. Ce sont aussi ceux qui disposent de moyens financiers suffisants pour payer leur voyage, ainsi que des ressorts psychologiques et d'une certaine force morale pour y parvenir, en dépit des traumatismes.

Parcourir les histoires de vie des réfugiés, c'est plonger dans des abîmes parfois difficilement soutenables. C'est aussi être frappé par la résistance et la force déployées pour survivre envers et contre tout.

LE PRIX DE L'ENGAGEMENT

Ibrahima Sow
Guinée

La Guinée a été meurtrie par de multiples atteintes aux droits de l'homme. À la dérive autoritaire du régime de Sékou Touré (1958-1984) a succédé la dictature militaire de Lansana Conté (1984-2008), marquée par de violentes répressions des mouvements de protestation populaires et de toute forme d'opposition.

À la mort du président Conté, en décembre 2008, le capitaine Moussa Dadis Camara s'est emparé du pouvoir, suscitant un nouvel espoir vite déçu. Les exactions se sont poursuivies en toute impunité avant d'atteindre leur paroxysme lors du massacre sanglant du 28 septembre 2009 au Stade national de Conakry, où l'opposition s'était réunie pacifiquement. Plus de 150 personnes y ont été tuées par les militaires et plus d'une centaine de femmes violées publiquement. Parmi les militaires mis en cause dans ce massacre figure le lieutenant-colonel Claude Pivi, connu en Guinée pour des actes de violences mais jamais sanctionné, et décoré en 2011 de l'ordre national du mérite de la République de Guinée.

Sous la pression de la communauté internationale et à la suite de la tentative d'assassinat du capitaine Dadis en décembre 2009, une transition a été instaurée jusqu'à l'élection en décembre 2010 d'Alpha

*Condé, ancien opposant. Mais l'avènement d'un nou-
veau pouvoir n'a pas mis fin aux violences. La torture
reste un phénomène répandu, moyen de répression et
d'extorsion d'aveux.*

*Ibrahima Sow, né en 1979, est issu d'une famille
d'opposants originaire de la région peule du Fouta
Djallon. Son histoire est étroitement liée aux secousses
meurtrières qu'a connues son pays. En février 2011,
ses activités politiques l'ont contraint à fuir vers la
France, où il a été reconnu réfugié en août 2012.*

L a politique, je suis né dedans. Je pense que mon
père s'est engagé du fait de son exil à Abidjan,
à l'époque de Sékou Touré. En Côte d'Ivoire, il
s'était lié d'amitié avec Bâ Mamadou, fondateur de
l'Union pour la Nouvelle République (UNR), regroupant des militants essentiellement peuls. Mon père
s'est engagé à ses côtés d'abord à l'UNR puis au sein
du nouveau parti de l'Union pour le progrès et le re-
nouveau (UPR). Une fois rentré en Guinée, il nous
disait que plus jamais il ne quitterait son pays, qu'il
fallait maîtriser son destin et faire face à l'autorité.

Tout petit, je voyais tout cela. En 1995, mon
père a été élu conseiller municipal de la commune de
Ratoma, à Conakry. Des personnalités venaient à la
maison pour des réunions politiques, je serrais des
mains. Mon engagement politique est né là. D'abord
soutien actif de l'UPR, j'ai rejoint en 2002 l'Union des
forces démocratiques de Guinée (UFDG), actuelle
force d'opposition.

À ma sortie de l'université en 2003, après des
études de droit, j'ai eu la chance d'être engagé au ministère du Développement rural et de l'Environnement.

Seuls les dix meilleurs étudiants dans chaque domaine pouvaient intégrer la fonction publique. J'avais envie de changer les choses et je me suis donné à fond dans la politique.

Plus il y avait de violences contre les populations, plus j'étais révolté et motivé pour agir. J'étais à la fois dans le système – ce que l'on me reprochait parfois – et à l'écoute des populations. Pour moi, nous pouvions changer le système de l'intérieur.

Au début des années 1990, il y avait pas mal de violences entre les ethnies soussou et peule. J'avais vu des gens arrêtés : ils m'avaient raconté ce qu'ils avaient vécu mais cela restait abstrait. Je pensais vraiment que les choses allaient changer. Quand mon père a été arrêté par des militaires en 2003, j'ai soudainement mesuré le poids de l'arrestation. Voir notre père bastonné et jeté dans un camion a été très dur pour nous, ses enfants.

En janvier 2005, il y a eu une tentative d'attentat contre le convoi de Lansana Conté. Notre maison était juste à côté. J'ai été arrêté par les militaires avec mon père et mon plus jeune frère, et nous avons été emmenés au camp Koundara, à Conakry. Quand vous arrivez, les adultes sont mis dans des cachots et les plus jeunes sont tout de suite interrogés et frappés pour leur faire peur et les faire avouer. « Reconnaissez que vous avez été influencé par untel. » Il faut répondre par oui ou par non. S'ils savent que vous avez un lien de parenté avec une personne arrêtée, alors vous êtes violenté pour faire mal à l'autre parent, pour qu'il avoue. Ils constituent des dossiers sur chaque personne. Ils disent qu'ils vont les transférer à la justice mais il n'en est rien. Ils les gardent : comme ça, lors d'une nouvelle arrestation, vous êtes déjà identifié.

C'était ma première arrestation. Ils ont commencé à nous frapper, j'ai été torturé. Il fallait que ça s'arrête. Ils voulaient que je reconnaisse que mon père avait des armes chez lui, qu'il recevait de l'argent pour financer la révolte, qu'il faisait des meetings la nuit, mais ce n'était pas vrai ! Ils ont emmené mon père pour nous confronter. Quand ils me posaient une question, je hochais simplement la tête. C'est à cause de mon jeune frère que j'ai tout avoué. Ils l'avaient frappé et il pleurait en me disant « *Koto wallant* » (« Grand frère, aide-moi »). Je ne l'ai pas supporté.

J'ai été détenu pendant plus de quatre mois. Mon père est tombé malade en prison et a été transféré à l'hôpital, où il est décédé. Dans le quartier, certains disaient que j'étais mauvais car j'avais lâché mon père. Cela me fait encore mal... J'ai pu m'évader lors d'une attaque menée par des militaires pour libérer leurs collègues emprisonnés à la suite de l'attentat contre le Président. Après mon évasion, j'ai appris que j'avais été radié de la fonction publique pour activité subversive. J'ai repris le commerce de notre père tout en menant mes activités politiques comme président d'un comité de base de l'UFDG.

En janvier 2007, à la suite des grandes manifestations organisées par l'opposition pour dénoncer la mauvaise gouvernance, j'ai de nouveau été arrêté. Dénoncé par le chef de quartier, j'ai été emmené avec ma femme et ma sœur à la Maison centrale (la prison) de Conakry. Peu après, ma femme et ma sœur ont été libérées, mais elles ont subi des viols. Moi, je suis resté détenu pendant six mois dans une cellule surpeuplée où je dormais à même le sol. Tombé malade, j'ai été transféré à l'hôpital, dont j'ai pu partir en payant les médecins.

Le 28 septembre 2009, j'étais au Stade national de Conakry pour manifester contre la candidature du capitaine Moussa Dadis Camara à l'élection présidentielle. Lors de l'attaque des militaires dans le stade, j'ai tenté d'escalader la clôture, mais le mur avait été électrifié. J'ai suivi un groupe qui courait vers le grand portail. Les militaires m'ont rattrapé et battu avant de m'emmener au camp Alpha Yaya Diallo. Ils avaient déjà un dossier sur moi. Le lieutenant-colonel Claude Pivi donnait des ordres aux militaires. Il leur a dit de s'occuper de moi. J'ai reçu des coups sur les parties intimes, ils introduisaient des bâtons, des trucs que l'on ne peut même pas expliquer. J'ai été mis dehors, nu, sous le soleil.

Si j'ai pu m'échapper, c'est parce qu'un militaire m'a aidé simplement en raison de notre même appartenance ethnique : il était peul, comme moi. Il voyait que la mission des militaires était de casser une ethnie. Il devait obéir aux ordres mais aussi protéger son ethnie. Lors de la tentative d'assassinat de Dadis en décembre 2009, j'ai profité, avec son aide, de la panique dans le camp pour m'enfuir.

En 2011, j'ai donné une interview sur une radio guinéenne dans laquelle je critiquais le régime d'Alpha Condé. Juste après, j'ai reçu des appels anonymes me menaçant de mort. Je ne suis pas rentré chez moi le soir. J'ai appelé ma femme pour la prévenir et j'ai entendu un brouhaha au téléphone. Elle a juste eu le temps de me dire qu'il y avait une descente de militaires chez nous puis j'ai entendu des cris, des violences. Je tremblais de peur et de colère. Les militaires me recherchaient et ils venaient s'en prendre à ma famille. Ils ont embarqué ma femme et mon frère. Après être resté caché plusieurs jours chez un ami, j'ai décidé de fuir : la coupe était pleine. Je ne pouvais pas retourner chez moi chercher ma femme.

Partir a été une décision très difficile à prendre. C'était comme un échec personnel. C'est se montrer lâche car on laisse les autres dans les difficultés. Moi-même, je pensais que ceux qui partaient n'étaient pas des patriotes. Mais il y avait eu trop d'arrestations, trop de blessures, trop de drames : il faut savoir arrêter. De plus, les parents de ma femme m'accusaient de détruire leur famille. Alors j'ai fui pour protéger mes proches, pour continuer ailleurs mon action politique. J'ai pensé au président actuel, qui avait lui-même quitté le pays lorsque le danger était trop grand. Cela ne l'a pas empêché d'y revenir et d'être le premier personnage de l'État. J'ai vendu des biens et, grâce à un passeport d'emprunt payé 3 500 euros, j'ai pu gagner la France par avion et passer la frontière sans problème.

Une partie de ma vie s'est obscurcie à cause de la politique. Je regrette profondément d'avoir dû, sous la torture, accuser mon père de comploter contre le régime, mais je ne pouvais plus supporter de voir mon frère maltraité par les militaires, de voir ses larmes couler... D'un autre côté, je me résigne à mon destin. Je suis croyant. Nous avons à la fois une destinée et une responsabilité dans ce qui nous arrive. C'est une façon de soulager ma conscience. J'aurais pu mourir comme d'autres. Vis-à-vis d'eux, je me dois de continuer. Il y a des traces sur mon corps, des blessures internes, mais je suis en vie. J'ai eu plus de chance que d'autres. C'est ce qui me permet de tenir. Pourquoi moi ? Pourquoi Dieu a-t-il permis cela ? Pourquoi ne nous protège-t-il pas ? Même si je ne pouvais m'empêcher de m'interroger, mon éducation religieuse m'a permis de résister.

Je sais que ma femme n'a pas accepté de tout me dévoiler sur ce qu'elle a vécu lors de la descente des militaires à notre domicile. Peut-être a-t-elle peur que je l'abandonne, mais non, je vais la faire venir. Pour oublier, j'essaye de ne pas savoir. Il faut fermer les yeux pour continuer à avancer. Je vais m'en sortir, j'ai la volonté, je me bats. Comme on dit : « Même si une chose vous est destinée, si vous restez assis, elle ne peut pas arriver. »

Témoignage recueilli le 19 novembre 2012.

UNE HÉROÏNE ORDINAIRE

Faima Seddiq
Pakistan

Le Pakistan est fréquemment le théâtre de violences. Voisin de l'Afghanistan, il constitue une base arrière de l'insurrection talibane. Des violences motivées par des raisons religieuses secouent également le pays. Selon le Haut-Commissariat des Nations unies pour les réfugiés, les minorités religieuses (chrétiens, ahmadis[2] et hindous), qui représentent 5 % de la population, peuvent être victimes de harcèlement, de violences, de discriminations sans que de véritables enquêtes soient menées ni les auteurs sanctionnés. La corruption aidant, de fausses plaintes peuvent être enregistrées et les juges intimidés.

Les lois sur le blasphème cristallisent en outre les tensions entre partisans d'une réforme et groupes extrémistes. Selon ces lois, quiconque souille le nom du prophète Mahomet en s'exprimant oralement ou par écrit, directement ou indirectement, par voie d'allusion ou de représentation, est passible de la peine de mort, de l'emprisonnement à vie ou d'une amende. Une peine d'emprisonnement à vie est également prévue pour toute atteinte au Coran. Des personnalités publiques qui s'étaient exprimées en faveur de

---

2. Courant réformiste de l'islam né en Inde au XIXe siècle et considéré comme contraire à l'islam.

leur révision y ont laissé leur vie : le gouverneur de
la province du Penjab, Salman Taseer, assassiné le
4 janvier 2011, et le ministre des Affaires des minori-
tés, Shahbaz Bhatti, tué le 2 mars 2011.
    Faima Seddiq, de religion catholique, était ensei-
gnante dans une école missionnaire de la province du
Penjab, accueillant très majoritairement des enfants
de confession musulmane.

C'était ma première expérience comme ensei-
gnante. Le personnel comme les élèves étaient
majoritairement musulmans, et l'enseignement
dispensé identique à celui donné dans les autres
écoles du pays.

J'étais très attachée à mes élèves. Parmi eux, il y
avait une élève particulièrement brillante et adorable,
Yasmin, issue d'une famille appartenant à la communauté pathane. Quand j'ai appris que son père, originaire de la vallée de Swat, voulait la marier malgré son
très jeune âge, j'ai réagi comme si c'était ma fille. Elle
n'avait que 9 ans ! Son père, qui vivait dans le Swat,
était revenu un jour avec une jeune fille de 12 ans avec
laquelle il s'était marié. Il voulait donner la sienne en
mariage et l'emmener dans le Swat. Je n'ai pas dormi la
nuit qui a suivi. Je devais faire quelque chose : c'était
plus fort que moi.

Ma première réaction a été de demander de l'aide
à la directrice de notre école. Mais elle m'a répondu :
« Que pouvons-nous y faire ? » Son attitude m'a blessée, même si je comprends sa peur face aux réac-
tions d'une partie de la communauté musulmane de
notre pays. Sans en informer ma famille, j'ai mobilisé
le groupe de ma paroisse pour que nous interpellions

les plus hautes autorités de l'État et la police locale. Mais rien n'a bougé. La police m'a dit que ce n'était pas mes affaires. Le père de Yasmin l'a su et je me suis retrouvée menacée de mort. Je me suis réfugiée dans une autre ville, mais un groupe d'hommes armés a attaqué notre domicile familial, et mon frère a été blessé. Mon père a porté plainte mais personne n'a été inquiété. Je n'avais plus le choix : je devais fuir, quitter mon travail, ma famille, ma paroisse, mes amis. J'ai quitté le Pakistan grâce à un passeport d'emprunt et je suis arrivée en France par avion en décembre 2008. Peu après, ma famille a dû déménager dans un autre quartier de la ville car elle se sentait en danger.

Là, j'ai appris que de nouvelles menaces avaient été proférées et écrites sur un mur en face de notre ancienne maison. J'étais accusée d'avoir blasphémé l'islam et je devais mourir pour cela. Ma famille a décidé de fuir une nouvelle fois pour se réfugier dans une autre ville. Depuis, elle a encore bougé car elle n'est toujours pas en sécurité.

En France, la première difficulté à laquelle vous êtes confronté, c'est que vous ne parlez pas la langue. Vous êtes incapable de faire face à quoi que ce soit. J'ai été hébergée par une famille de compatriotes que je ne connaissais pas. Je suis entrée brutalement dans leur vie et la cohabitation est vite devenue insupportable. Hélas, toutes mes demandes d'hébergement ont échoué.

Lorsque j'ai demandé l'asile pour la première fois, en février 2009, mon expérience avec l'Ofpra (Office français de protection des réfugiés et apatrides) a été très pénible. J'ai été reçue en entretien avec un interprète en ourdou qui m'a semblé hostile. De fait, cela s'est très mal passé. L'officier de protection ne

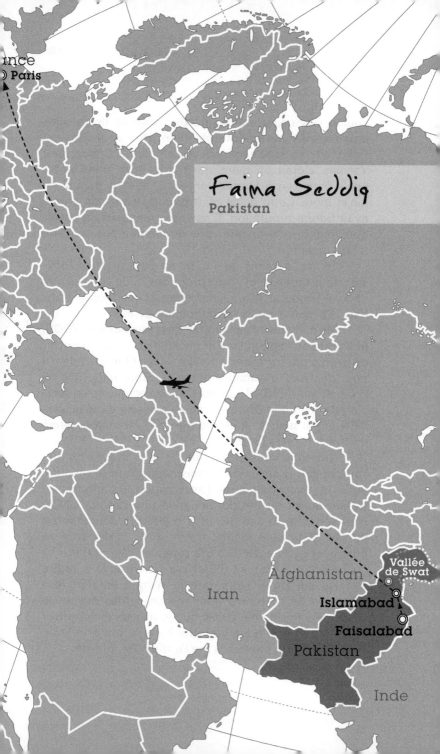

voulait pas comprendre que des enfants de familles musulmanes pouvaient très bien être scolarisés au Pakistan dans une école privée catholique. Concernant Yasmin, c'était sa mère qui l'avait mise dans notre école, sans en informer son mari, absent depuis de longs mois. Cette école était près de chez elle et elle avait bonne réputation. C'est très humiliant de savoir que vous dites vrai, que vous ne mentez pas, mais de n'être pas crue.

Je me souviens qu'à la fin de cet entretien l'officier de protection et l'interprète ont ri. Je l'ai très mal vécu. À l'époque, je ne comprenais aucun mot de français : j'ai pensé qu'ils se moquaient de moi.

Ma demande d'asile a été rejetée en octobre 2009, mais l'association qui me domiciliait pour mon courrier ne m'en a pas informée à temps, aussi était-il trop tard pour déposer un recours devant la Cour nationale du droit d'asile (CNDA). Je suis allée récupérer la décision de rejet de l'Ofpra, je me suis assise dans la gare RER et j'ai pleuré. À ce moment-là, j'ai même pensé mettre fin à mes jours.

Quand je vous ai rencontré, vous m'avez dit que l'on pouvait essayer de tenter malgré tout le recours, avec le témoignage de l'association reconnaissant qu'elle aurait dû me donner mon courrier. La CNDA n'en a pas tenu compte et a rejeté ma demande en janvier 2011 sans même m'entendre. J'étais très en colère, et cette colère ne m'a toujours pas quittée.

Même le Conseil d'État n'a rien trouvé à redire à cette situation, alors que je n'étais en rien responsable de ce retard pour me présenter devant la CNDA. Parfois, je me disais que je n'avais qu'à rentrer chez moi et que nous verrions bien ce qui arriverait. Heureusement, mon père me l'a toujours interdit.

En septembre 2011, mon père m'a informé que le père de Yasmin m'accusait désormais d'avoir fait enlever sa femme et sa fille, qu'il disait disparues ! Il a porté plainte contre moi et la police me recherchait, ainsi que l'un de mes frères, également accusé. Ma famille était terrorisée. Pour se protéger, elle s'est de nouveau enfuie dans une autre ville du Pakistan.

Sur la base de ces faits nouveaux, j'ai redemandé l'asile. J'ai eu un second entretien avec l'Ofpra. C'était le jour et la nuit en comparaison du premier. Et il a été reconnu en mars 2012 que mon « implication volontaire dans l'empêchement d'un mariage arrangé illégal » me faisait courir des risques en cas de retour au Pakistan.

Quand je repense à mon histoire, je me dis que j'ai fait quelque chose qui valait mieux que le silence. Mais, si c'était à refaire, j'agirais différemment en cherchant l'aide d'ONG pour mieux protéger mes proches. Je me sens honteuse vis-à-vis de ma famille qui souffre et de mon frère, toujours en danger. Je n'ai pas oublié le visage de Yasmin, elle était si gentille... Comment peut-on marier une si petite fille ? Je ressens toujours la culpabilité de ne pas l'avoir sauvée.

J'aimerais m'engager dans un travail social, aider les jeunes Pakistanaises. Mais, pour l'instant, il m'est encore difficile de me projeter dans un avenir.

Témoignage recueilli le 21 juin 2012.

Michel Nbembi
Cameroun

Au Cameroun, l'homosexualité est un délit. L'article 347 bis du code pénal la réprime par une peine de six mois à cinq ans d'emprisonnement ainsi que par une amende comprise entre 20000 et 200000 francs CFA (environ 30 à 300 euros). Des personnes sont régulièrement arrêtées en raison de leur orientation sexuelle et condamnées par les tribunaux. L'homosexualité est aussi un tabou au sein de la société, et les personnes homosexuelles sont souvent stigmatisées, harcelées et victimes de chantage.

Michel Nbembi a enduré violences physiques et verbales pendant plus de six ans du fait de son homosexualité. Il s'est résolu à quitter son pays et à venir en France en novembre 2010.

Je suis parti à cause de la répression liée à l'homosexualité dans mon pays. Le Cameroun est un pays où règne l'homophobie. Il est très difficile d'y vivre en étant homosexuel : c'est même très dangereux.

Depuis que mon homosexualité a été connue de ma famille, en 2004, j'ai enduré des injures à répétition. C'est ça, le quotidien : même les enfants vous insultent. Des gens vous jettent de l'eau et vous considèrent comme un moins que rien, et vous ne pouvez pas vous plaindre. J'ai été victime de nombreuses bastonnades ; j'ai vu les habitants de tout un secteur, tout un quartier, se lever comme un seul homme et venir chez moi pour me frapper. Ils vous battent comme s'ils tuaient un serpent. Si on vous prend, ne serait-ce que sur la base de ragots, le quartier tout entier se rue sur vous comme un essaim d'abeilles. Chaque fois, ça faisait tache d'huile : un voisin commençait à m'insulter, les autres arrivaient et ça dégénérait. J'ai eu plusieurs fois des membres fracturés. Vous êtes sans défense. J'ai encore des séquelles physiques de ces attaques et je souffre moralement d'avoir subi tout ça.

Je dois la vie à quelques personnes qui ont pu s'indigner par moments. Parfois, il s'agissait de personnes qui avaient un intérêt à me défendre, qui venaient me demander des faveurs financières. Psychologiquement, c'est très dur. J'ai dû déménager à plusieurs reprises. Mais, où qu'on aille, c'est la même chose.

Les persécutions venaient aussi de ma propre famille. Tout le monde vous rejette : vous êtes maudit, vous êtes la honte de la famille et vous vous retrouvez seul. Ils m'ont passé à tabac à plusieurs reprises. Ils envoyaient la police pour me rançonner. Mes propres cousins m'ont même blessé au dos avec une machette. J'étais devenu *persona non grata*. La seule famille que j'aie pu avoir, c'est la communauté homosexuelle.

Les commissariats et la justice me maltraitaient eux aussi. La loi est très répressive à l'encontre de notre communauté. La justice ne nous protège pas. Elle nous livre plutôt en pâture au peuple.

À la gendarmerie, si j'allais me plaindre, on me demandait de l'argent. Il faut être téméraire pour aller se plaindre : au lieu d'être considéré comme la victime, vous êtes tout de suite mis en cause. On est comme la gangrène.

On peut vous déférer sans preuves devant la justice, sur des ouï-dire. Les dossiers sont vides mais le simple fait qu'il soit écrit « homosexuel » pèse de tout son poids et suffit. Quand on avait la chance de tomber sur un magistrat pas homophobe, il nous disait : « Parlez bien », ce qui veut dire qu'il faut donner de l'argent. Mais quand le juge est homophobe, il n'y a pas de « parlez bien ». Avec ou sans preuves, il vous envoie en prison. En détention, c'est pire. On vous présente comme étant la « décharge », le « miel », comme ils disent. C'est-à-dire que tout le monde peut mettre la main sur vous. C'est ce que j'ai vécu. Je m'en suis sorti bon nombre de fois en payant la police, les magistrats, les voisins. Mais, le jour où j'ai arrêté de payer, il n'y avait plus personne pour me protéger.

La vie homosexuelle au Cameroun est une existence de misère. On vit au jour le jour, dans la crainte, assommé psychologiquement. On est injurié et on a le corps meurtri en permanence. Certains de nos amis sont retrouvés morts chez eux après des règlements de comptes. Beaucoup fuient le pays pour pouvoir survivre. Il y en a qui se suicident car ils ne peuvent pas faire face à tout ce qui leur arrive.

J'ai enduré la situation pendant plus de six ans, de 2004 à 2010. J'ai été abandonné, rejeté par toute ma famille. Pour survivre, continuer ses études et avoir un logement, on doit se prostituer. Mais, à un moment, j'ai senti ma mort proche. À force de blessures, de menaces de mort et de poursuites judiciaires, j'ai compris qu'il fallait partir. J'ai quitté mon pays en novembre 2010.

À mon arrivée en France, je ne connaissais personne. Je suis arrivé malade. Je portais les stigmates des sévices subis. J'ai découvert ma maladie en France, très peu de temps après mon arrivée. Je ne savais pas où aller, j'étais mal en point. Je me suis rendu dans une association pour chercher du réconfort moral et psychologique. On m'a présenté une assistante sociale, qui m'a aidé à faire des démarches. J'ai d'abord eu une carte de séjour pour raison médicale car ma maladie est très grave et nécessite des soins importants.

Parallèlement, j'ai fait une demande d'asile. J'ai eu beaucoup de chance car j'ai été orienté vers l'ACAT, où l'on m'a aidé et rassuré. Mais la procédure a un peu traîné au niveau de la préfecture car j'avais déjà un titre de séjour pour soins. Il a fallu que j'insiste pour pouvoir déposer ma demande d'asile. J'ai dit que ma demande n'était pas liée à mon titre de séjour pour soins, qu'elle était un peu comme une reconnaissance. C'est ça que je cherche : une tranquillité de l'esprit et de l'âme. J'ai dit ça à la préfecture et ils ont enregistré ma demande d'asile.

Pour me loger, ça a été très difficile. Pendant de longs mois, j'ai dormi à droite à gauche. Pendant tout le début de la procédure, j'ai traîné comme ça, sans réel hébergement fixe, j'étais logé chez des gens moyennant parfois des rapports sexuels. Je n'avais rien, je ne connaissais personne, je n'avais pas le droit de travailler, donc pas d'argent. Cette période a duré huit mois, jusqu'au 20 juillet 2011, jour où j'ai finalement obtenu un logement par le biais d'une association qui héberge des personnes malades comme moi.

À l'Ofpra, ça s'est bien passé, mais cet entretien a été particulièrement éprouvant. J'étais très dépressif à l'époque – je le suis toujours un peu mais ça va mieux – et relater ces épreuves m'a été douloureux. J'ai commencé à pleurer. L'officier de protection m'a proposé d'interrompre l'entretien, mais j'avais commencé à parler et je me disais qu'il valait mieux continuer. J'ai donc poursuivi mon récit. La décision a été très rapide : en moins d'une semaine, en janvier 2012, j'ai été reconnu réfugié.

Il s'est pourtant produit une péripétie. Après avoir été reconnu réfugié, je suis allé à la préfecture pour demander ma carte de résident. Là, les employés m'ont dit que, dans leur machine, il était écrit « réfugié : non ». Pour eux, j'avais déjà un titre de séjour pour soins et il était hors de question que je prétende à une carte de réfugié si j'avais eu un refus.

Je ne comprenais rien ! Je leur ai montré la décision de l'Ofpra mentionnant que j'avais été reconnu réfugié, mais ils n'ont rien voulu entendre. Je suis allé voir l'Ofpra pour comprendre. Là-bas, ils m'ont dit qu'ils avaient fait leur travail et que c'était à la préfecture de faire le sien. Je suis donc retourné à la préfecture avec un acte de naissance délivré par l'Ofpra[3]. Même là, ça ne passait pas. Ils me disaient toujours que leur machine indiquait « réfugié : non ». Après l'intervention de l'ACAT, de l'association qui m'héberge et d'un avocat, la préfecture a finalement appelé l'Ofpra pour vérifier. Et plusieurs mois après la décision de l'Ofpra, j'ai fini par avoir un récépissé de carte de réfugié !

Malgré mon statut de réfugié, je n'ai pas connu la paix intérieure et je dois prendre des cachets pour surmonter ma dépression. Je suis réfractaire à l'idée de porter sur moi une carte de réfugié car elle me rappelle un passé douloureux : chaque fois que je la présente et que je la tiens dans la main, je passe une

---

3. Lorsqu'une personne est reconnue réfugiée, l'Ofpra se substitue aux autorités et joue le rôle de mairie. Il délivre ainsi aux personnes placées sous sa protection leurs actes de naissance et de mariage et le livret de famille.

mauvaise journée. Pourtant, d'une manière ou d'une autre, je suis plus apaisé, je me sens plus en sécurité maintenant. Ici, je ne suis pas abusé du fait de mon orientation sexuelle. Je peux me plaindre à la police s'il m'arrive quelque chose et ma plainte sera prise en compte. Je peux vivre ma vie tout en respectant celle des autres.

Témoignage recueilli le **25 juin 2012**.

AU NOM DE SA FOI

Genevi, Polycarpe et Loren Gomes
Bangladesh

Au Bangladesh, les chrétiens sont une petite minorité (0,3%) d'une population majoritairement musulmane (87%). Leur existence remonte au XVIᵉ siècle, lorsque les Portugais sont arrivés dans le golfe du Bengale. La plupart sont catholiques et portent un nom de famille portugais et un prénom chrétien associé à un prénom indien. Cette minorité, comme celles des hindous (10%) et des bouddhistes (3%), est harcelée par des groupes fondamentalistes musulmans, bien que la Constitution garantisse la liberté religieuse. Face aux agressions, la police reste la plupart du temps passive, voire complice.

Dès leur prime jeunesse, Genevi et Polycarpe éprouvent ce qu'il en coûte d'appartenir à la minorité chrétienne du Bangladesh : insultes sur le chemin de l'école, jets de pierres sur le chemin de l'église, menaces de conversion forcée, parents rackettés. Très jeunes, ils s'engagent dans des activités sociales pour aider les plus pauvres, lutter contre les trafics de drogue et contre le mariage des mineures. Après leur mariage et la naissance de leur fille, Loren, ils sont amenés à prendre la responsabilité d'un ensemble scolaire créé à Dhaka par la mère de Genevi, qui, malade, ne peut plus en assumer la direction. Mais les choses vont mal tourner. Voici le récit de Genevi.

En 1995, lorsque nous avons pris la responsabilité de l'école fondée par ma mère, nous devions payer, sous la menace, des cotisations imposées par l'imam de la mosquée du quartier, tout comme ma mère avait dû les payer auparavant. L'imam disait que c'était pour financer la mosquée et la *madrasa* (école coranique) du quartier. Ces demandes représentaient l'équivalent de 1000 euros par mois. Lorsque nos finances le permettaient, nous cédions ; sinon, l'imam nous insultait et appelait ses hommes, qui venaient démolir des meubles de l'école.

Dans notre établissement, chaque élève suivait un enseignement sur sa religion : christianisme, islam, hindouisme... Mais l'imam et des intégristes nous menaçaient sans cesse, disant que nous ne pouvions pas enseigner le christianisme car le quartier était musulman et que la seule religion acceptée était l'islam. De plus, ils ne supportaient pas qu'une femme ait cette liberté d'action que me procuraient mon travail et mon poste.

J'étais également menacée par Mamoud, un trafiquant de drogue, proxénète et fondamentaliste très connu dans le quartier, et ses hommes, notamment Mohin et Rakib. Dès 1990, quand je me suis engagée dans des activités sociales, ils m'ont accusée de promouvoir la religion chrétienne et menacée plusieurs fois, au téléphone ou dans la rue, de me jeter de l'acide au visage. En 1991, ils ont tenté de m'enlever, mais en ont été empêchés par mes amies, alertées par mes cris.

Les menaces se sont aggravées à partir de l'année 2000. Un jour que je revenais du Centre d'éducation pour femmes adultes, des hommes de Mamoud m'ont insultée et matraquée sur tout le corps. Depuis cette agression, je porte une prothèse dentaire. Les insultes et les menaces – y compris des menaces de mort contre moi ou notre fille – se multipliaient. C'était un cauchemar infini.

Début 2002, quatre extrémistes se sont introduits de nuit dans notre maison après avoir ligoté et bâillonné le gardien. Sous la menace des armes, ils ont pris nos objets de valeur : les bijoux en or, le téléviseur et le lecteur de DVD, ainsi que 60 000 takas (environ 600 euros) en espèces. J'étais enceinte. Ils ont dit : « Encore un bébé chrétien ! Tu ne dois pas agrandir la communauté chrétienne ! » Un des hommes m'a donné un coup de pied dans le ventre et j'ai perdu mon bébé : j'en ai eu énormément de peine, j'en resterai traumatisée à vie. Les hommes étaient encagoulés, je ne les ai donc pas reconnus, mais je pense que c'étaient encore des hommes de Mamoud car, la veille, nous avions refusé de lui verser de l'argent.

De 2002 à 2008, dans le cadre de mes activités en faveur de l'éducation des adultes et contre les mariages de mineures, je faisais du porte-à-porte pour sensibiliser les personnes concernées et mobiliser la population. Sur le chemin du retour, j'étais régulièrement insultée par les extrémistes musulmans. Souvent, lorsque nous rentrions du marché, les délinquants du quartier bloquaient notre voiture et volaient ce que nous avions acheté. Ils continuaient à nous demander des cotisations pour la mosquée et la *madrasa*.

En novembre 2008, après un rassemblement de protestation contre les islamistes sous la bannière de l'Association des jeunes de Tejgaon, mon mari a été violemment battu sur le chemin du retour à la maison. Moi, je n'avais pas participé à ce rassemblement, car je devais rester avec ma fille, qui avait des examens à préparer. Ce même mois, dans le cadre de mon enga-gement dans l'association Youth First Concerns[4], je suis intervenue auprès des parents de jeunes trafi-quants de drogue. Ces jeunes m'ont alors menacée, disant que c'était inutile d'aller voir leurs parents. Ils avaient également peur pour leur trafic de femmes, car je tentais chaque jour de sensibiliser celles-ci, qui étaient pour eux une source d'argent importante. Ils m'ont ordonné de cesser mes activités.

Toujours en 2008, un élève de seconde a échoué dans huit matières à l'épreuve de présélection pour les examens secondaires de l'année scolaire 2009. L'imam de la mosquée a fait pression sur nous pour que nous l'autorisions à passer ces examens. Mon mari est allé le signaler à la police, qui n'a pas réagi. Il est également allé voir le conseiller municipal du quar-tier, qui lui a dit que ce n'était pas grave. Nous étions choqués par cette indifférence mais nous savions que la police et le conseil municipal étaient complices de beaucoup de trafiquants, qu'ils étaient corrompus et préféraient récupérer une part de l'argent des diffé-rents trafics plutôt que nous protéger.

Le 14 décembre, je sortais de chez une amie avec laquelle j'avais mes activités sociales. Nous venions de faire la prière, j'étais à pied. Mamoud, Mohin et Rakib m'ont barré le chemin et m'ont emmenée de force dans une cabane sombre. Ils disaient : « À cause de tes acti-vités, notre commerce ne va pas, nous ne pouvons plus faire d'arrangements avec la police. » Tout en m'insul-tant, l'un des délinquants a posé la main sur moi. Je me suis énervée et je lui ai donné une gifle. Excédés par mon geste, ils m'ont ligotée puis violée et abandonnée là.

---

4. Bangladesh Youth First Concerns est une organisation chrétienne humanitaire créée en 1995 pour s'occuper des jeunes et les aider à trouver un emploi.

Inquiet de ne pas me voir à la maison en rentrant d'une réunion, Polycarpe est parti à ma recherche. Quand il est arrivé au bidonville d'Amtola, des femmes lui ont appris ce qui m'était arrivé. Il m'a retrouvée inconsciente et a appelé une ambulance pour me conduire à l'hôpital.

Pendant mon hospitalisation, en repensant au viol que je venais de subir, un sentiment de honte me hantait, j'avais l'impression d'être souillée. J'étais anéantie et j'ai fait une tentative de suicide par pendaison dans ma chambre. Polycarpe, qui n'était pas loin, a pu m'en empêcher.

De retour de l'hôpital et jusqu'à notre départ en France, je suis restée très mal psychologiquement. J'avais été violée, je serais désormais exclue de la société. Je me sentais coupable vis-à-vis de ma fille et de mon mari. J'avais envie d'aller à l'école pour travailler, mais tout le monde parlait de moi. À l'école de ma fille, ses amis disaient : « Ta mère a été violée. » Je me demandais : « Pourquoi moi ? » Mentalement, j'étais détruite. Je n'arrivais plus à supporter la vie, c'est pour cela que j'avais essayé de me tuer.

Début janvier 2009, Polycarpe a été arrêté par la police à la suite d'une fausse plainte déposée au commissariat par Mamoud et sa bande. Il était accusé à tort de possession d'armes. Lors de sa détention, on l'a torturé physiquement et mentalement. Il a été libéré moyennant un versement d'argent. Bénéficiant d'une liberté conditionnelle, il devait aller chaque mois signer à la police.

Début février, un jour que notre chauffeur conduisait notre fille à l'école, les hommes de Mamoud ont bloqué la route, fait descendre notre fille de la voiture et menacé de la brûler avec de l'acide. Arrivée à l'école,

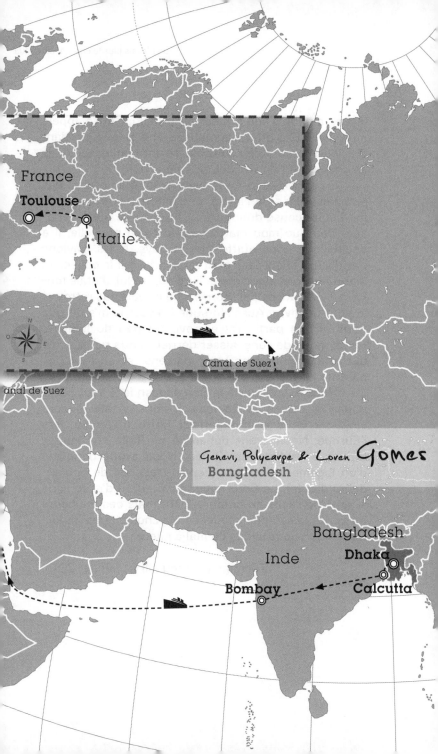

France
Toulouse
Italie

Canal de Suez

anal de Suez

Genevi, Polycarpe & Loven Gomes
Bangladesh

Bangladesh
Inde
Dhaka
Bombay
Calcutta

elle en a parlé à son professeur principal, qui a appelé mon mari. Elle était traumatisée et a refusé pendant plusieurs jours d'aller à l'école, restant enfermée dans sa chambre et ne voulant plus nous parler.

En avril, Rakib a été assassiné. Mamoud et ses hommes, aidés de l'imam, ont fait en sorte que mon mari soit accusé du meurtre. Une plainte a été déposée. Dès que mon mari a appris cette nouvelle, il a décidé que nous quitterions le pays. Nous n'avions pas d'autre choix car il était recherché par la police, un mandat d'arrêt ayant été délivré contre lui. J'étais toujours traumatisée par mon viol, je n'avais pas retrouvé le goût de vivre. Aussi, lorsque Polycarpe m'a dit que nous allions partir, j'ai entrevu un peu de lumière. Hélas, nous devions laisser derrière nous notre école qui fonctionnait bien, nos maisons, et surtout nos parents.

Nous avons quitté le Bangladesh le 9 avril 2009 pour Calcutta puis Bombay. Il nous a fallu encore vingt-six jours pour organiser notre traversée vers l'Europe. Nous avons débarqué en Italie et sommes arrivés à Toulouse le 12 juin. Nous avons bénéficié d'un logement en Cada (centre d'accueil de demandeurs d'asile). La Cour nationale du droit d'asile nous a accordé l'asile en octobre 2011, mais ces malheurs nous ont laissé des séquelles psychologiques importantes que nous avons du mal à guérir.

Témoignage recueilli en janvier 2013.

UNE FEMME EN RÉSISTANCE

Mabetty Ba
Guinée

Le mariage représente un fait social majeur dans la vie d'une femme guinéenne. Il est généralement arrangé entre les deux familles. La loi prévoit le « consentement libre et non vicié » des époux lors du mariage civil qui précède le mariage religieux. Néanmoins, la femme étant soumise à une forte pression sociale et familiale, le consentement peut n'être que de pure forme sans que les autorités n'interviennent pour la protéger.

Née en Guinée en 1968, Mabetty Ba a été mariée de force à l'âge de 14 ans. Elle a en outre été confrontée à la pratique persistante de l'excision. Selon les dernières données disponibles, le taux de prévalence des mutilations génitales féminines en Guinée est de 96 %. En 2011, une vague d'excision a eu lieu à la suite d'une rumeur prétendant que toute fillette non excisée tomberait malade. Malgré des campagnes de sensibilisation et les sanctions prévues par la loi guinéenne, la justice ne se saisit pas des cas d'excision.

À l'âge de 14 ans, ma tante m'a mariée de force à un homme beaucoup plus âgé que moi. Mes parents étaient décédés et c'est elle qui s'occupait de moi. Comme j'étais jeune, je n'ai pas eu le choix, j'ai dû lui obéir. Après ce mariage religieux, j'ai dû aller vivre chez ce vieux et me plier à ses exigences. Mais j'étais encore une enfant, je ne voulais pas avoir de rapport sexuel avec lui, donc je me suis refusée à lui. Il est allé régler cette affaire directement avec ma tante, qui m'a obligée à me soumettre. Il m'a forcée.

Tout le temps où je suis restée chez lui, ça n'a été que violence. Lorsque je me refusais à lui, il me faisait attacher, me frappait et me forçait. Parfois, il appelait deux gars pour qu'ils viennent l'aider à m'attacher. Un jour, il m'a même brisé le doigt. J'en ai encore des séquelles.

Je ne pouvais pas parler de toutes ces choses car, chez nous, si ton mari te fait du mal, tu ne peux pas le dire : ça te fait honte, donc tu le gardes pour toi. J'ai essayé une fois d'aller porter plainte à la police, mais on ne m'a pas écoutée. Mon mari était un homme très influent, la police s'est rangée de son côté. On m'a simplement dit de retourner chez moi, qu'ils ne pouvaient rien faire. Ça a duré comme ça des années et des années.

Un jour, le vieux m'a dit qu'il voulait faire exciser ma fille. J'ai eu trois enfants avec lui : deux filles, Adama et Halimatou, et un garçon, Abdou. Il voulait appliquer la tradition à notre fille aînée. Chaque jour, j'entendais parler de problèmes pour les fillettes à cause de l'excision. Je ne voulais pas que ma fille subisse la même chose, alors j'ai refusé. Je me suis opposée à mon mari, mais il n'en a pas tenu compte. Un jour, en 2004, alors que j'étais au marché, il a profité de mon absence pour emmener Adama sans me le dire. Lorsque je suis revenue, ma fille avait été excisée. Après, elle n'a cessé d'avoir des ennuis de santé, des infections. À l'hôpital, on me disait que c'était à cause de l'excision. Elle a mis deux mois à guérir.

Mon mari a voulu recommencer avec notre seconde fille, Halimatou. Je m'y suis de nouveau fermement opposée. Chaque jour, c'était la bagarre entre nous. Je ne quittais plus Halimatou, de peur qu'il ne me l'enlève en cachette. Je l'emmenais partout où j'allais. Puis mon mari en a eu marre. Nous lui faisions affront, c'était une honte pour lui : il nous a mises à la porte, Halimatou et moi. Adama et mon fils sont restés avec leur père.

Ce jour-là, je voulais mourir, car je n'avais aucune famille, je ne savais pas du tout où aller. C'est terrible pour une femme d'être répudiée. Ce sont des voisins et amis qui nous ont recueillies chez eux, ma fille et moi. C'était un 31 juillet. J'ai passé la nuit là-bas, une seule nuit. Le lendemain, nous faisions du thé dehors, Halimatou dormait dans la maison. D'un seul coup, nous avons vu la maison prendre feu. Tout le monde est venu, mais, lorsqu'on a sorti ma fille, elle était toute brûlée. On l'a emmenée à l'hôpital, où elle est décédée le lendemain. Ma petite fille.

Tout le monde savait que c'était le vieux qui avait envoyé des gens brûler la maison pour se venger de nous. Il allait me faire du mal à moi aussi si je restais. C'est comme ça que précipitamment, et grâce à l'aide de mon voisin, j'ai quitté seule le pays, laissant Adama et Abdou avec leur père.

À mon arrivée en France, ça a été très dur. Je n'avais pas de logement et ne connaissais personne. J'ai dormi dans la rue très souvent. Ce n'est pas facile pour une femme seule de mon âge. Parfois, des gens me donnaient un petit matelas. À deux reprises, des personnes m'ont même proposé de dormir chez elles pour la nuit car le temps était mauvais. Mais, dès le lendemain, je sortais et je recommençais à errer. Je marchais, je marchais. Parfois, je me reposais sur un banc public.

Ça n'a été que galères. Un jour on m'a conseillé d'aller chez France Terre d'asile pour trouver une solution. Je suis partie vers leurs locaux, à Créteil, mais ça a été compliqué. À deux reprises, je n'ai même pas pu entrer car il y avait trop de monde et je n'étais pas arrivée assez tôt. La troisième fois, j'y suis allée la veille au soir avec des cartons et j'ai dormi sur place. Même comme ça, je n'étais pas dans les premiers et, normalement, je n'aurais pas dû entrer. Mais quelqu'un dans la queue a vu mon état et a demandé aux autres de me laisser passer parce que j'étais fatiguée et que j'étais une femme. Là-bas, on m'a enregistrée, puis on m'a dit de me rendre à la préfecture pour retirer mon dossier de demande d'asile. J'ai sollicité un logement, mais je n'en ai pas eu pendant toute la procédure. J'ai dormi soit chez des amis, soit dans la rue, soit dans les hébergements du 115. Mais, même au 115, il n'y a pas toujours de place. Je ne reste jamais au même endroit. Je change tout le temps.

Dans un premier temps, l'Ofpra a rejeté ma demande d'asile en janvier 2011. Pour eux, tout était vague dans mon histoire. Je suis allée à la CNDA et j'ai obtenu la protection subsidiaire en novembre 2011. Pourtant, ma situation n'a pas changé. C'est toujours pareil : je fais toutes les démarches et je cours partout à longueur de journée pour trouver une assistante sociale qui puisse m'aider à me loger. On me renvoie de structure en structure depuis des mois. Je n'arrive même pas à expliquer mes problèmes. La dernière fois, je me suis emportée à France Terre d'asile. Je suis tellement fatiguée, perdue dans toutes les démarches administratives... On me demande des papiers que je n'ai pas, on me renvoie de lieu en lieu. Je passe mes journées à chercher où je vais passer la nuit. Une amie m'héberge en ce moment contre de l'argent, mais sa fille est revenue à la maison et je dois quitter les lieux. Après, je ne sais pas encore où j'irai.

Depuis ce témoignage, recueilli le 29 mai 2012, Mabetty Ba est parvenue à trouver un hébergement en janvier 2013 dans un foyer Emmaüs.

Janaghah Hassan Zadah
Afghanistan

Avant 1979, l'Afghanistan a connu une instabilité politique avec plusieurs coups d'État, puis le pays a été occupé par les Soviétiques de 1979 à 1989 avant de sombrer, entre 1992 et 1996, dans une guerre civile opposant forces talibanes, partisans du commandant Massoud et autres moudjahidines. En septembre 1996, les talibans, majoritairement issus de l'ethnie pashtoune, pénètrent la région de Ghazni et s'emparent de Kaboul. Sous la houlette du mollah Omar, ils établissent en 1997 l'Émirat islamique d'Afghanistan, qui signe l'apparition d'un régime ultra-conservateur avec de multiples atteintes aux droits de l'homme. Malgré la chute du régime taliban fin 2001 et l'avènement d'un nouveau pouvoir conduit par Hamid Karzaï sous l'égide de la communauté internationale, les forces talibanes ont poursuivi leurs opérations de guérilla et de représailles.

Janaghah Hassan Zadah est né en 1979 au sein d'une famille hazâra pratiquant l'islam chiite. Il a été arrêté par les talibans lors de leur prise du pouvoir.

Mon histoire est compliquée et douloureuse, elle me fait mal. Tout le monde sait qu'il y a toujours la guerre en Afghanistan. Entre qui ? Entre tout le monde : notre religion, notre langue, notre parti, notre village... Moi, j'ai été victime d'un malentendu, si l'on peut dire. Je n'avais fait aucun mal à personne et je n'appartenais à aucun parti lorsque j'ai été arrêté.

Quand j'avais 2 ans, mon père, communiste, qui avait servi sous l'ère soviétique, et ma mère se sont séparés. Je me suis retrouvé placé dans un orphelinat à Kaboul avec mes frères et sœurs. Il était interdit à ma mère de nous rendre visite, même si une fois, je m'en souviens, elle était venue en cachette. Mes sœurs ont été envoyées étudier en Russie et mon frère aîné s'est enfui. Je pensais que je n'avais plus de famille, je me demandais ce que j'allais devenir en grandissant. Voir d'autres parents rendre visite à leurs enfants était une épreuve alors que j'étais seul, tellement seul, à l'orphelinat. Chaque fin de semaine ou lors des célébrations afghanes, j'aurais aimé que quelqu'un m'emmène, mais personne ne venait jamais.

Un jour, en 1989, on est venu m'annoncer la visite de mon frère. Mon frère ? Je ne l'avais pas revu depuis bien longtemps : je ne l'ai pas reconnu tout de suite. Le directeur l'a autorisé à m'emmener en lui disant que je devais revenir le lendemain. Je ne suis jamais rentré à l'orphelinat. Mon frère m'a conduit au village de ma mère. L'endroit m'a semblé éloigné de tout, moi qui n'avais vécu qu'en ville, à Kaboul. Nous sommes arrivés de nuit. Une douzaine de femmes toutes joyeuses sont sorties et m'ont conduit à l'intérieur d'une maison. Assis à côté de mon frère, je ne savais pas laquelle d'entre elles était ma mère, je ne me rappelais plus. Puis l'une d'elles s'est approchée et j'ai compris que c'était ma maman. Elle était si contente, elle m'embrassait. Pendant les jours qui ont suivi, les voisins et la famille félicitaient ma mère et, en signe de porte-bonheur, lançaient de l'argent au-dessus de ma tête. Je n'avais jamais vécu une chose pareille et je me précipitais pour ramasser tout cet argent.

Plus tard, mes sœurs, de retour de Russie, sont revenues vivre auprès de ma mère, remariée avec un ancien moudjahidin qui avait combattu les Soviétiques. La famille était réunie et je me suis marié avec l'une des filles de mon beau-père. C'était la guerre, et mon beau-père, qui s'opposait aux talibans, partait régulièrement en mission les combattre.

En septembre 1996, alors que j'étais à Jaghori, près de Ghazni, des talibans ont frappé à notre porte. Mon beau-père, averti de leur présence, s'est enfui par la maison mitoyenne. Quand j'ai ouvert la porte, ils étaient au moins dix. J'ai essayé de leur faire croire que la personne qu'ils recherchaient n'habitait pas ici, que je n'étais pas de sa famille. Mais l'un de leurs informateurs a confirmé que j'étais bien son gendre et que mon père, désormais disparu, avait travaillé pour les Russes.

J'avais 17 ans, et j'ai été arrêté simplement parce que les talibans traquaient mon beau-père. Le régime taliban n'était pas un vrai État, les talibans pouvaient faire ce qu'ils voulaient de leurs prisonniers. J'ai vécu dix mois d'enfer.

Les talibans m'ont emmené en voiture à leur base, située près de Ghazni. Ils m'ont placé dans une pièce où j'ai été ligoté et couché face contre terre. Ils m'ont mis un câble électrique sur le dos jusqu'à ce que je ressente la décharge dans mes pieds. À chaque électrocution, ils demandaient que je révèle la cache de mon beau-père et combien de pièces d'armes il possédait. Je pleurais en répétant que je ne savais rien.

Le lendemain, j'ai de nouveau subi la torture par décharges électriques. Cette fois-ci, c'était sur tout mon corps. Ces souffrances ont duré une semaine. Mon corps me faisait immensément mal partout. Je ne pouvais plus ni m'asseoir, ni me coucher, ni connaître aucune position reposante.

Après les séances de torture, j'étais enfermé dans une cellule avec une vingtaine de détenus. Les détenus changeaient souvent... J'étais terrifié par la cruauté des talibans parce qu'en prison j'ai vu beaucoup d'hommes pendus, décapités, abattus...

J'ai connu toutes sortes de tortures. Je ne voyais pas la fin de ce tunnel, je souhaitais mourir. Mon corps était recouvert d'ecchymoses et je ressentais des douleurs que je n'aurais jamais imaginé pouvoir exister. Ils m'insultaient : « Eh, toi ! espèce de Hazâra, chiite apostat ! » J'étais méprisé, pire qu'un animal à leurs yeux.

Un jour, j'étais attaché à une chaise et ils ont essayé de me violer. Je me démenais en les insultant à mon tour. Un des leurs est venu et a uriné dans ma bouche. J'implorais leur miséricorde : « Si vous n'avez pas pitié de moi, au moins ayez pitié à cause du Prophète. Si vous m'attrapiez de nouveau, je n'aurais toujours rien à vous dire. » Ils répondaient : « Si tu étais un sunnite, nous t'aurions respecté, mais vraiment tu es un chien. » Il y a beaucoup de choses que je ne peux pas dire.

Dans ce camp, on nous faisait travailler : nous descendions les pendus du gibet, nous creusions des fosses communes, nous enterrions les morts. Je devais tout faire ; je leur étais utile. J'étais parmi les plus jeunes. Je suis resté détenu pendant dix longs mois, jusqu'en juillet 1997. J'ai tenu grâce à ma famille, à ma femme. Je ne sais toujours pas exactement pourquoi ils ne m'ont pas exécuté, mais de toute façon je pensais que j'allais mourir comme ça un jour, comme un animal qui tombe dans une cage. Moi, j'étais dans une cage des talibans. Pour les gens, ce n'est pas possible de sortir vivant d'une prison des talibans.

Les derniers temps de ma détention, j'étais assigné à travailler avec le cuisinier : j'ai essayé de le convaincre de m'aider. Il a fini par avoir pitié de moi et m'a dit qu'un jour je serais libéré. Il savait ce que j'avais enduré. Un jour de marché, alors que je l'accompagnais, il m'a remis une petite somme d'argent et m'a dit que je pouvais partir.

J'ai fui en marchant toute la nuit. Sur la route, un camionneur m'a emmené jusqu'à Kandahar. Puis j'ai rejoint la région de Nimroz, près de la frontière iranienne. Je me suis retrouvé à Nimreez, qui est une ville de contrebande. Contre toute attente, j'y ai retrouvé mon frère, qui faisait là-bas du commerce. Il m'a fait traverser la frontière par bateau et, grâce à un passeur, je suis allé jusqu'à Téhéran, où ma famille s'était déjà réfugiée. Nous avons vécu quelques années en Iran avant de retourner en 2005 en Afghanistan, après la chute des talibans.

De retour dans mon pays, je me suis lié d'amitié avec un homme. Je passais beaucoup de temps avec lui. Mais, un jour, j'ai su que son père était très proche des talibans, avec lesquels il complotait. J'en ai informé la police et le père de cet ami ainsi que d'autres personnes ont été arrêtés. J'ai alors subi des représailles : ils ont essayé de me tuer et j'ai décidé de quitter le plus tôt possible l'Afghanistan. Si je n'avais pas eu tous ces ennuis, jamais je ne serais parti.

À la frontière iranienne, j'ai été arrêté par la police, mais, en payant, j'ai pu passer et gagner Téhéran, où je suis resté un certain temps. C'est une femme qui a organisé mon passage vers la Turquie, moyennant 1000 dollars. Passer de la Turquie vers la Grèce n'était pas facile. Avec une vingtaine d'autres étrangers, nous avons pris de nuit un bateau sans moteur, sans pouvoir nous repérer. On voyait seulement des montagnes au loin. À notre arrivée sur les côtes grecques, j'étais épuisé, j'avais faim, tous mes vêtements étaient mouillés. Des policiers sont arrivés pour nous embarquer et, après avoir pris nos empreintes, nous ont remis un papier nous demandant de quitter le pays. Nous avons rejoint Athènes en bateau, en payant chacun son billet. Je suis resté un an en Grèce, où j'ai fait plein de petits boulots. Puis, comme beaucoup d'Afghans, je me suis rendu à l'immense gare routière de Patras, sur le port d'où partent chaque jour de nombreux bateaux pour l'Italie. J'ai réussi à me glisser au fond d'un camion entre des piles de cartons. J'étais sûr de passer. D'autres ont eu moins de chance que moi : ils ont été écrasés en se cachant sous des poids lourds.

En arrivant en France en novembre 2008, après trois longues années de voyage, je voulais m'engager dans la Légion étrangère, mais je n'ai pas réussi les examens d'entrée. J'ai erré dans Paris entre la gare du Nord et la gare de l'Est, dans les parcs ; le soir, un bus venait chercher ceux qui voulaient dormir dans un centre d'hébergement, mais c'était extrêmement sale... J'ai réussi à trouver un petit travail pour payer une chambre. Je suis même allé dans le Nord, à Lille, mais, là-bas, les policiers n'ont pas pris en compte ma demande d'asile. Finalement, c'est à Paris que j'ai pu faire enregistrer ma demande, en juillet 2009. En novembre de la même année, j'ai été reconnu réfugié par l'Ofpra.

Depuis, mon épouse et nos quatre enfants m'ont rejoint en 2012. J'essaye de pardonner en cherchant le chemin pour continuer de vivre.

Témoignage recueilli le 6 décembre 2012.

« JE NE CONNAIS PAS BACHAR AL-ASSAD, JE NE CONNAIS QUE LA LOI »

Bassel Masri
Syrie

Le 15 mars 2011, la population syrienne s'est sou-levée pour exiger la liberté et la chute du régime de Bachar Al-Assad. Cette révolution en marche, qui s'inscrit parmi celles qui ont vu le jour dans la majo-rité des pays arabes, se poursuit malgré les dizaines de milliers de morts, les disparus, les emprisonne-ments assortis de torture et l'exil ou le déplacement de plus d'un million de personnes, dont la majeure partie a rejoint les pays limitrophes. Elle s'est accompagnée de la constitution d'une armée de déserteurs, rejoints ultérieurement par des civils, qui tentent de protéger les populations et de libé-rer des villes de l'occupation de l'armée du régime. Ces combats, quoique déséquilibrés, ont abouti à la libération de zones administrées désormais par les populations elles-mêmes.

Né à Damas le 24 février 1984, je suis issu d'une famille cultivée, de confession musulmane sunnite. Célibataire, j'ai suivi des études à la faculté de droit de Damas et obtenu ma licence en droit en 2006. Je suis avocat depuis le 12 mars 2009.

Lorsque la révolution a commencé en Tunisie, en Égypte et en Libye, j'ai ressenti de la joie et espéré que le souffle révolutionnaire atteigne mon pays. Mes espoirs se sont concrétisés. Lorsque l'étincelle de la révolution a embrasé Deraa le 15 mars 2011, j'ai décidé de participer à l'activité contre le régime dictatorial. De plus, en tant qu'avocat et défenseur des droits de l'homme, j'aspirais à une justice indépendante : la magistrature actuelle ne connaît que la corruption ou les ordres des services secrets.

Avec quelques amis de ma ville, comme Issam Hammoud, un copain d'enfance décédé en martyr le 27 mai 2012, nous avons décidé de manifester le 25 mars 2011 après la prière du vendredi à la mosquée. Les militants l'avaient rebaptisée « mosquée de la dignité » car c'était le seul espace qui nous permettait de militer sous l'état d'urgence. Nous avons scandé des slogans pour les martyrs et la liberté, il y avait avec nous beaucoup de jeunes des villages alentour. À la fin de la manifestation, les *chabiha* (nervis) du parti Baas nous ont dispersés de façon sauvage, avec des matraques, en nous insultant grossièrement. La manifestation était terminée...

Quatre jours plus tard, le 29 mars, lorsque je suis rentré à la maison, j'ai su qu'une patrouille de la section de la Sûreté politique d'Al Tall était venue à la maison et avait posé des questions à mon sujet. Je devais me présenter à son local le lendemain. Je m'y suis rendu et, après une attente éreintante de six heures, on m'a introduit dans la pièce des enquêtes. Il y avait là trois hommes en civil : l'un procédait à l'interrogatoire, le deuxième rédigeait le procès-verbal, le troisième se taisait et surveillait. L'accent de l'investigateur indiquait qu'il appartenait à la confession alaouite. Après avoir repris ma carte d'identité (elle m'avait été demandée à l'entrée du bâtiment), il m'a interrogé : « Pourquoi êtes-vous allé à la manifestation vendredi ? Quelles sont vos revendications ? Vous voulez détruire le pays ? Coopérer avec les ennemis ? » Comme je suis avocat et que, selon la loi, on n'a pas le droit de m'interroger sans avoir un mandat du conseil de la section du syndicat des avocats, je lui ai répondu : « Avez-vous un mandat du syndicat des avocats pour m'interroger ? » Il m'a répondu : « Nous ne connaissons ni avocats ni personne d'autre, nous sommes en Syrie, nous ne connaissons que Bachar Al-Assad. » Je leur ai rétorqué : « Je ne connais pas Bachar Al-Assad, je ne connais que la loi. »

À peine ma phrase était-elle achevée qu'ils m'ont roué de coups et ont poussé des hurlements : « Comment oses-tu t'en prendre à monsieur le Président, espèce de traître ! » Puis ils m'ont donné des coups violents sur le visage et partout sur le corps. Ils se sont acharnés sur mes parties génitales en m'insultant. Je ressens encore la douleur des blessures et des injures quand j'en parle. Ils m'ont conduit dans un cachot minuscule où s'entassaient déjà douze personnes. J'étais très mal physiquement et moralement. Au bout de quatre jours, le même enquêteur m'a fait venir et m'a dit qu'on me libérerait dès que j'aurais signé un engagement à me tenir tranquille et loin des manifestations. Finalement, je n'ai rien signé et suis quand même sorti du dépôt.

J'ai choisi de poursuivre mes activités, mais de façon clandestine. Avec quelques confrères avocats, nous avons décidé d'organiser des rassemblements pour dénoncer les arrestations arbitraires de confrères qui avaient eu l'audace de soutenir publiquement les revendications du peuple : liberté et justice. Un rassemblement s'est ainsi tenu dans la cour du palais de justice de Damas, le 14 mai 2011, au cours duquel nous avons exigé la libération des avocats détenus et, plus largement, de tous les prisonniers de la révolution syrienne. Ce rassemblement n'a pas eu de débouchés directs, ni même dommageables pour ses organisateurs. Néanmoins, en dépit de sa modestie, il a constitué un pas important sur la voie de la liberté car il était le premier depuis de longues décennies.

Compte tenu de l'escalade des crimes commis par le régime et du succès relatif du premier rassemblement, nous en avons organisé un second le 25 juillet au matin dans la salle des avocats du palais de justice de Damas. C'était un rassemblement silencieux qui a duré une heure et demie. Puis nous avons scandé d'une seule voix : « Liberté ! » L'avocat général et les *chabiha* qui avaient été appelés ont envahi le palais de justice et nous ont agressés.

Des éléments de la Sûreté en civil, sans m'accuser de quoi que ce soit, m'ont arrêté sans mandat le 1er août vers 21 heures à mon cabinet à Damas. Ils ont perquisitionné mon bureau et m'ont conduit à la section « Palestine » de la prison, où ils m'ont jeté dans un cachot exigu de six mètres carrés contenant seize ou dix-sept personnes. Nous étions obligés de nous asseoir à tour de rôle...

Le lendemain, j'ai été interrogé par un officier au visage fermé. Il m'a posé des questions à propos de tous les numéros trouvés sur mon téléphone mobile. Il m'a demandé si j'étais lié à des opposants à l'intérieur du pays ou à l'étranger. Il m'a également interrogé sur la nature de mes relations avec les avocats ayant participé aux rassemblements et dont les noms étaient pour beaucoup écrits sur une feuille. Après m'avoir menacé de me torturer et employé des mots grossiers, on m'a demandé de signer un engagement à ne plus participer à des rassemblements non autorisés à l'avenir – alors qu'il n'existe de toute façon aucune autorisation pour les rassemblements, qu'ils soient silencieux ou non ! J'ai refusé de signer parce que j'avais toujours nié ma participation aux rassemblements et que, là, on me demandait ne plus y participer. J'avais peur que mon nom soit inscrit sur une liste noire d'avocats ayant participé à des manifestations puis l'ayant avoué ensuite sous la torture ou la menace de torture, comme ça a été le cas pour certains. L'enquêteur m'a dit qu'un avocat, Mahmoud Sebsi, m'avait cité comme ayant participé au rassemblement. Je leur ai demandé de me déférer en justice mais ils ont refusé et se sont moqués de moi : « Tu te crois au Japon ? » On m'a ramené au cachot et le lendemain matin, par chance, j'ai été libéré.

À cette époque, il y a eu une recrudescence des arrestations d'avocats et de militants politiques. J'ai donc décidé d'accélérer mes démarches pour m'en aller, de peur d'être liquidé, emprisonné ou torturé une troisième fois. J'ai demandé un visa à l'ambassade de France à Damas. Je l'ai obtenu le 3 novembre 2011, et le fonctionnaire du consulat français m'a demandé mon billet d'avion et une assurance-santé. Le voyage était prévu le 15 novembre. Au bout de quelques jours, comme je m'attendais à ce que mon nom figure sur une liste des interdits de sortie du pays, je me suis rendu à l'administration de l'émigration et des passeports pour prendre connaissance de ma situation. J'ai soudoyé un des policiers pour qu'il entre mon identité dans l'ordinateur. Il m'a dit que mon nom figurait sur la liste des personnes recherchées sans accusation précise depuis le 11 octobre 2011, soit six jours après l'émission de mon passeport. Il a ajouté que l'administration des passeports avait communiqué mon nom aux services de sécurité et que je serais arrêté si je tentais de passer la frontière. J'ai donc été contraint de reporter mon voyage.

Au bout d'un mois, une personne que j'avais soudoyée pour me permettre de sortir du pays m'a dit que c'était réglé et que je pouvais voyager. Le 27 décembre 2011, je suis arrivé à Paris. Dès mon arrivée, j'ai mené de front deux activités : un master de droit européen et international à Paris-XIII et toutes les mobilisations pour le peuple syrien.

Il est évident que les fonctionnaires de l'ambassade de Syrie en France et du centre culturel syrien ont établi des rapports sur les participants à ces manifestations à Paris et les ont envoyés en Syrie. Cela a eu pour conséquence que les *chabiha* ont forcé la porte de mon logement là-bas et l'ont pillé avant de l'incendier à titre de représailles. Mon appartement se situe dans le même immeuble que celui où vit ma famille et, sur ma porte, il y a une plaque sur laquelle est écrit : domicile de l'avocat Bassel Masri. Heureusement qu'il n'y avait personne chez moi et que je ne possédais pas beaucoup d'affaires ni de meubles : c'est d'ailleurs cela qui a empêché l'incendie de se propager.

Au mois de mai 2012, j'ai commencé à comprendre que le combat du peuple syrien contre la clique des Assad prendrait du temps en raison du silence international sur les massacres du régime et du soutien des régimes dictatoriaux. Cela m'a conduit à prendre la décision de présenter une demande d'asile. En effet, je refuse de trahir mon serment d'avocat et je ne veux pas me taire sur l'oppression, les arrestations et la torture orchestrées par ce régime. L'avocat est libre et il constitue l'un des piliers de la justice. Pourtant, j'ai beaucoup hésité avant de présenter ma demande, car la procédure dure très longtemps et, ce que j'attends, c'est la chute du régime pour revenir sans plus tarder en Syrie.

J'ai été en butte à la répression, à la torture et aux arrestations arbitraires, ainsi qu'aux menaces de torture. On a refusé de reporter mon service militaire (incorporation d'office), bien que j'aie un document du consulat syrien à Paris établissant ma résidence ici. Je suis donc recherché pour effectuer le service militaire. Celui qui fait son service actuellement, surtout la jeunesse sunnite dont je fais partie, est mis sur la ligne de front et doit affronter les manifestants et les révolutionnaires. Il est obligé de commettre des crimes contre les citoyens et la patrie, sinon il est exécuté sur-le-champ. Je ne peux pas rentrer en Syrie puisque je suis recherché à la fois par la Sûreté et par les services de l'enrôlement militaire. En cas de retour, mon destin sera arrestation, torture et mort.

Je reste confiant sur la réponse qui sera donnée à ma demande de protection en France.

Depuis ce témoignage, recueilli en février 2013, Bassel Masri a été reconnu réfugié par l'Ofpra le 4 mars 2013.

DEUXIÈME PARTIE
L'ERRANCE. LES ROUTES DE L'EXIL

Fuir d'abord près de chez soi

Ces dernières années, les autorités françaises ont beaucoup communiqué sur l'augmentation de la demande d'asile en France, à la fois pour mettre en avant notre « tradition d'accueil » et justifier une politique plus restrictive. Mais l'écrasante majorité des réfugiés fuient d'abord près de chez eux. Ce sont les pays du Sud, ceux limitrophes de zones de fortes turbulences, qui accueillent le plus grand nombre de réfugiés.

En 2011, le Pakistan, la République démocratique du Congo et le Kenya supportaient une charge dans l'accueil des réfugiés bien plus élevée que la France eu égard à leur capacité économique. Si la France se situait bien au deuxième rang des pays de l'Union européenne pour le nombre de demandes d'asile enregistrées en 2012 et au troisième rang derrière les États-Unis parmi le groupe des quarante-quatre pays les plus industrialisés[5], elle passait au quinzième rang pour la période 2008-2012 lorsque ce nombre était rapporté à sa population[6]. Le ratio

5. Il s'agit des vingt-sept pays de l'Union européenne ainsi que de l'Albanie, la Bosnie-Herzégovine, la Croatie, l'Islande, le Liechtenstein, l'ex-République yougoslave de Macédoine, le Monténégro, la Norvège, la Serbie, le Kosovo, la Suisse, la Turquie, l'Australie, le Canada, les États-Unis, le Japon, la Nouvelle-Zélande et la République de Corée.
6. *Niveaux et tendances de l'asile dans les pays industrialisés. Panorama statistique des demandes d'asile déposées en Europe et dans certains pays non-européens*, HCR, 2012. Si l'on prend comme indicateur le nombre de candidats à l'asile au regard des capacités économiques d'un pays (indicateur que l'on appelle la parité de pouvoir d'achat), la France est au premier rang ▶

nombre de demandeurs d'asile par habitant est davantage représentatif de la réalité de la demande d'asile, mais il est généralement passé sous silence : les autorités françaises préfèrent agiter le chiffon rouge de « l'appel d'air » de réfugiés toujours plus nombreux. Mais partir, pour un réfugié, ce n'est pas choisir un eldorado lointain, c'est d'abord et presque toujours une question de survie.

Dans le monde, le Haut-Commissariat des Nations unies pour les réfugiés (HCR) comptabilisait, pour 2011, 42,5 millions de personnes « déracinées » (15,2 millions de réfugiés, environ 0,9 million de candidats à l'asile et 26,4 millions de personnes déplacées à l'intérieur de leur propre pays). Depuis mars 2011, plus d'1,3 million de Syriens ont fui les massacres pour se réfugier essentiellement dans les pays voisins : Liban, Jordanie, Irak, Turquie ou Égypte. L'Europe n'a reçu sur son sol qu'une faible partie d'entre eux, même si leur nombre est en augmentation.

Dans les pays qui ne disposent pas de mécanisme national de protection, ou dans lesquels celui-ci est en cours d'installation, comme en Tunisie ou en Turquie, le HCR a pour mandat d'assurer la protection des réfugiés et de leur proposer des solutions durables, soit en les intégrant dans le pays d'accueil, soit en les réinstallant dans un autre pays ou en les incitant à retourner chez eux. Il gère des camps où vivent les réfugiés, parfois sans aucune perspective d'avenir et contraints d'y demeurer indéfiniment.

---

des quarante-quatre pays les plus industrialisés, ce qui signifie qu'elle supporte la charge la plus élevée.

Le voyage clandestin au péril de sa vie

Comment fuir ? Recherchés, parfois fichés par les services de sécurité de leur pays, les réfugiés sont dans l'impossibilité de se faire établir rapidement et sans danger un passeport pour sortir de leur pays et entrer légalement dans un autre. Avant que les persécutions ne les rattrapent, il leur faudrait obtenir à très bref délai un visa pour gagner l'Europe, sans certitude aucune qu'il leur soit accordé. Mission presque impossible : chaque année, une centaine de réfugiés seulement obtiennent des consulats français un visa au titre de l'asile pour venir légalement en France.

Ainsi, la plupart des réfugiés arrivent en France après avoir franchi les frontières sans passeport ni visa correspondant à leur véritable identité. Comment faire autrement ? Voyageant parmi des migrants qui, eux, ne fuient pas pour préserver leur vie mais espèrent trouver une vie meilleure, ils se voient confrontés aux multiples obstacles mis en place par les États pour limiter l'accès au territoire européen, fragilisant du même coup le droit d'asile.

Les réfugiés s'en remettent à un passeur qui organisera leur fuite en leur fournissant papiers, itinéraires et moyens de transport. Ils ne connaissent pas toujours leur destination. Sur les routes de l'exil, ils risquent des arrestations, des enlèvements par des groupes criminels, des détentions arbitraires dans les pays de transit, avec leur lot de violences et de mauvais traitements, comme en Libye, voie de passage empruntée par les Somaliens, Érythréens, Éthiopiens ou Irakiens. Dans la péninsule du Sinaï, située en Égypte et bordée par la frontière israélienne, des Soudanais, Éthiopiens ou Érythréens se retrouvent prisonniers de trafiquants.

Ils sont torturés, victimes de violences sexuelles, rançonnés ou tués s'ils ne peuvent payer pour poursuivre leur route. En septembre 2012, alors que certains essayaient de franchir la frontière israélienne, Israël leur refusait temporairement l'accès à son territoire.

Certains réfugiés rejoignent la France directement par avion ou bateau. Pour d'autres, les itinéraires ressemblent à une errance sans fin avec des allers-retours entre le pays d'origine et les pays voisins. Parfois, après s'être installés hors de leur pays, les réfugiés sont rattrapés par les menaces, ou leurs conditions de vie sont telles qu'ils décident de poursuivre leur chemin. D'autres, croyant le feu des violences éteint, retournent vivre chez eux avant de se résoudre à un nouvel exil. Ainsi, l'histoire de nombreuses familles afghanes est celle de va-et-vient plus au moins longs entre l'Afghanistan et le Pakistan ou l'Iran.

D'autres réfugiés, avec ou sans passeport d'emprunt, voyageront plusieurs mois, parfois des années, avant d'atteindre l'Europe. Au cours de ce long exode, ils auront multiplié les petits boulots pour trouver l'argent qui leur permettra de poursuivre leur voyage et de régler leurs dettes.

Les prix du périple varient. Un passeport peut se monnayer jusqu'à 3 500 euros. Enfermés dans des containers sur des navires de marchandises pendant plusieurs jours, naviguant dans des barques de fortune, contraints de voyager en camion dans l'obscurité des heures durant, les réfugiés sont souvent confrontés à des conditions de voyage éprouvantes. Certains n'arriveront jamais à destination. En 2011, 1 500 personnes au moins ont perdu la vie en Méditerranée en tentant de gagner les côtes européennes. En juillet 2012, le HCR dénombrait 170 personnes en provenance de

Libye décédées ou disparues en mer. Face à ce bilan macabre, de nombreuses voix se sont élevées pour dénoncer l'absence de réactivité des gouvernements européens et leur demander des comptes[7].

Un territoire européen barricadé

En autorisant la libre circulation des personnes à l'intérieur de son propre espace (l'espace Schengen[8]), l'Union européenne a repoussé aux limites de son territoire le contrôle des frontières. Depuis les années 2000, elle a renforcé son étanchéité en sous-traitant à des pays tiers le contrôle des flux migratoires et le traitement des demandes d'asile. Pour mener à bien cette politique d'externalisation de l'asile, l'Union européenne a créé en 2004 l'agence Frontex[9], bras armé du contrôle à l'extérieur des frontières européennes. Cette agence mène des opérations terrestres, des interceptions maritimes en Méditerranée et des renvois forcés. Les conditions de ces interventions soulèvent critiques et interrogations quant au respect des droits fondamentaux, particulièrement du droit d'asile.

Poursuivant sa politique de délocalisation du contrôle de ses frontières, l'UE a également confié à

---

7. Voir « "Morts en Méditerranée : est-ce que ça s'arrêtera un jour ?", s'insurge la rapporteure de l'APCE Tineke Strik », Assemblée parlementaire du Conseil de l'Europe, Migrations, réfugiés et personnes déplacées, 12 juillet 2012.
8. L'espace Schengen réunit les vingt-deux États membres de l'Union européenne (par ordre d'adhésion : Allemagne, Belgique, France, Luxembourg, Pays-Bas, Italie, Espagne, Portugal, Grèce, Autriche, Danemark, Finlande, Suède, Estonie, Lituanie, Lettonie, Hongrie, Malte, Pologne, République tchèque, Slovaquie et Slovénie) et quatre États associés (Islande, Norvège, Suisse et Liechtenstein).
9. Agence européenne pour la gestion de la coopération opérationnelle aux frontières extérieures.

des tiers la mission de protéger les candidats à l'asile. En 2010, elle a signé un accord de coopération avec la Libye, pays pourtant peu respectueux des droits de l'homme et non signataire de la Convention de Genève de 1951, relative au statut des réfugiés. Sous le régime de Mouammar Kadhafi, les migrants étaient parqués, femmes et enfants compris, dans des camps militarisés fermés, et soumis à toutes formes de mauvais traitements. L'Italie, de son côté, avait également passé une série d'accords bilatéraux avec ce régime, poursuivant le même objectif de sous-traitance. En mai 2009, ayant intercepté au large des côtes de Lampedusa un groupe de deux cents Somaliens et Érythréens en provenance de Libye, l'Italie les a remis immédiatement aux autorités libyennes sans se soucier ni de leur besoin de protection ni de leur sort, en dépit des conditions inhumaines d'enfermement dans les geôles de Kadhafi et des risques de torture encourus. De Libye, les réfugiés pouvaient à tout moment être refoulés vers la Somalie ou l'Érythrée, où persécutions et violences étaient à craindre.

Se prononçant pour la première fois sur ces renvois en mer, la Cour européenne des droits de l'homme, siégeant à Strasbourg, a condamné en février 2012 l'Italie pour avoir ainsi violé l'interdiction absolue d'exposer quiconque à des actes de torture ou à des mauvais traitements[10]. Depuis, l'Italie a conclu en 2012 un nouvel accord avec la Libye sur l'immigration clandestine malgré la persistance des violations des droits de l'homme dans ce pays.

Dans un autre registre, la France utilise l'outil dissuasif des visas de transit aéroportuaire (VTA)

10. Arrêt de la grande chambre Hirsi Jamaa et autres c. Italie (requête n° 27765/09) du 23 février 2012.

imposés aux ressortissants de certains pays cibles faisant escale en France lors de leur voyage à destination d'un pays en dehors de l'espace Schengen. Difficiles à obtenir, ils privent des réfugiés potentiels de la possibilité de demander l'asile lors de leur escale en France. En janvier 2013, la Syrie a été ajoutée en toute discrétion à la liste des États pour lesquels ce visa est requis, malgré la situation alarmante du pays et les craintes légitimes des Syriens d'y périr. La lutte contre les détournements de procédure ou le risque d'afflux massif mis en avant par les autorités françaises prévalent sur le besoin de protection des populations, au détriment de la liberté fondamentale de l'asile. Depuis plusieurs années, déjà, les demandes d'asile aux frontières aéroportuaires et portuaires françaises ne cessent de diminuer. Accéder au territoire français relève de plus en plus de l'exploit.

Errer en Europe

Une fois sur le territoire européen, les réfugiés ne sont pas pour autant au bout de leurs peines. L'Union européenne s'est fixé pour objectif d'édifier un « régime d'asile européen commun » (Raec), fondé sur une procédure d'asile semblable dans tous les États membres et un statut uniforme pour les réfugiés. Dans ce cadre, elle a adopté des règles complexes ayant pour objet de déterminer, pour chaque candidat à l'asile, quel pays européen sera le seul responsable du traitement de sa demande. En arrivant sur le sol européen, les réfugiés sont alors piégés dans l'engrenage du règlement dit « Dublin ».

Ce texte poursuit deux objectifs : éviter que les États ne se renvoient les réfugiés sans examiner leur demande d'asile et empêcher qu'une même personne soumette plusieurs demandes dans différents pays : l'« *asylum shopping* ». Le premier pays européen traversé ou celui ayant délivré un visa, par exemple, est dès lors considéré comme responsable du traitement et de l'examen de la demande d'asile. Il est identifié grâce au relevé des empreintes digitales des réfugiés pénétrant en Europe, conservées dans la base de données Eurodac.

Sur le papier, le système paraît fonctionner. Mais le système Dublin présuppose que chaque pays européen est à même d'accueillir sur son sol des réfugiés dans des conditions respectueuses de leurs droits et d'examiner équitablement leur demande d'asile avec d'égales chances de protection. La réalité est tout autre. Des pays qui constituent des portes d'entrée du territoire européen (Grèce, Malte, Chypre) sont fortement sollicités et incapables de faire face. Les réfugiés y sont arrêtés, enfermés, souvent maltraités, et leurs chances d'y être protégés ou de s'y insérer sont très faibles. En Grèce, il leur est généralement demandé de quitter le territoire sans pouvoir déposer une demande d'asile. Ils poursuivront leur route pour échapper au règlement Dublin, mais la trace de leur entrée dans l'un des pays européens les renverra inéluctablement vers celui-ci.

Les réfugiés venant d'Asie emprunteront un itinéraire terrestre bien connu, passant par le Pakistan, l'Iran, la Turquie, la Grèce, l'Italie puis la France. Ceux venant du Caucase traverseront la Pologne ou la Hongrie avant de gagner la France... mais ils devront retourner en Grèce, en Pologne ou en Hongrie s'ils veulent demander l'asile dans l'espace européen. La France a la possibilité, à titre humanitaire ou de son propre chef, de renoncer à transférer les réfugiés vers ces pays, mais ce n'est bien souvent que sous la pression de la justice qu'elle s'y résout.

En Grèce, le système national d'asile est en faillite depuis plusieurs années. Dès 2006, le Comité européen pour la prévention de la torture y pointait des conditions d'accueil déplorables pour les réfugiés. En 2008, le commissaire aux droits de l'homme du Conseil de l'Europe et le HCR alertaient les gouvernements européens de l'indignité du système d'asile grec et de l'impossibilité d'y obtenir une protection, compte tenu des très faibles taux de protection (inférieurs à 3 %). Dès 2008, les ONG de défense du droit d'asile ont demandé sans succès à la France de suspendre les renvois vers la Grèce. Les autorités se sont obstinées à appliquer le règlement Dublin pour les réfugiés entrés en Europe via la Grèce.

Cependant, en février 2011, la Cour européenne des droits de l'homme a mis fin aux renvois vers la Grèce en condamnant à la fois ce pays et la Belgique. La Grèce pour la détention dans des conditions dégradantes d'un Afghan sollicitant l'asile après son transfert par la Belgique et pour l'incurie de son système d'asile, exposant cet homme à un renvoi vers l'Afghanistan sans examen sérieux de sa demande de protection. Et la Belgique pour l'avoir renvoyé en Grèce malgré les graves défaillances de la procédure d'asile grecque, connues de tous[11]. Ce n'est qu'après cette décision européenne que la France a suspendu les renvois vers la Grèce.

Dans d'autres pays européens, en Hongrie ou en Pologne, les réfugiés sont confrontés à des actes de

---

11. Cour européenne des droits de l'homme, arrêt de grande chambre M.S.S c. Belgique et Grèce (requête n° 30696/09) du 21 janvier 2011.

violences raciales ou de discriminations les conduisant à fuir de nouveau et à solliciter l'asile ailleurs.

Lorsque les empreintes digitales des réfugiés sont
illisibles, les autorités françaises suspectent – sans
toujours le démontrer – qu'ils ont volontairement altéré
leurs doigts par brûlure ou application de colle, afin
qu'on ne retrouve pas leur trace dans Eurodac. Certains
réfugiés s'automutilent pour éviter coûte que coûte leur
renvoi vers un pays européen défaillant, mais l'illisibi-
lité des empreintes peut aussi résulter de l'utilisation
de produits corrosifs, de brûlures superficielles ou de
problèmes dermatologiques. Fin 2011, l'Office français
pour la protection des réfugiés et apatrides (Ofpra)
prenait prétexte de ces difficultés pour rejeter plus
de cinq cents demandes d'asile sans prendre la peine
d'entendre les personnes. La plus haute juridiction administrative, le Conseil d'État, saisi par la Coordination
française pour le droit d'asile (CFDA), a rappelé l'administration à l'ordre, jugeant que « l'intérêt public qui
s'attache à la lutte contre la fraude n'est pas susceptible de justifier une atteinte aussi grave aux intérêts
des demandeurs d'asile ». Le juge est venu cette fois-ci
au secours du droit d'asile en le faisant prévaloir sur
toute autre considération.

Chaque année, la France transfère vers le pays
responsable de l'examen de leur demande d'asile plusieurs centaines de réfugiés et en reprend quelques
centaines d'autres en application du règlement Dublin.
S'ils n'ont pas été transférés, ils pourront, après une
attente de six ou dix-huit mois (s'ils sont considérés
comme s'étant opposés au transfert), solliciter l'asile
en France. Mais ils auront perdu beaucoup de temps,
vécu dans des conditions précaires et se seront épuisés dans les démarches administratives et judiciaires.

Le passage par les cases de l'enfermement en France

Le parcours d'exil des réfugiés passe aussi par la case de l'enfermement aux frontières françaises. Passagers clandestins démunis de documents d'entrée valables, des réfugiés ne franchissent pas le contrôle policier et sont maintenus en zone d'attente dans les aéroports, gares ou ports. Il en existe une cinquantaine en France, sortes de sas entre la frontière et le territoire. Chaque année, quelques milliers de personnes, y compris des enfants non accompagnés par des adultes, sont maintenues en zone d'attente. Elles y restent enfermées – dans l'attente de leur renvoi ou de leur entrée sur le territoire français – pour une durée moyenne de trois jours, mais qui peut légalement aller jusqu'à vingt-six jours.

Dans ces zones d'attente, privés de liberté, dans un état de stress post-traumatique ou de sidération après les événements vécus, les réfugiés sont confrontés à une succession d'obstacles parfois infranchissables. D'abord, être informé du droit de solliciter l'asile à la frontière et faire enregistrer sa demande. L'Association nationale d'assistance aux frontières des étrangers (Anafé), présente dans la principale zone d'attente de l'aéroport de Roissy-Charles-de-Gaulle, dénonce régulièrement les refus de la police aux frontières d'enregistrer les demandes d'asile. Elle doit batailler pour obtenir ces enregistrements, mais elle n'assiste qu'une minorité de personnes. Des réfugiés sont refoulés vers leur pays ou le pays de provenance avant même d'avoir pu déposer leur demande, en violation flagrante des obligations internationales de la France.

Ce premier obstacle franchi, les candidats à l'asile doivent convaincre l'Ofpra du bien-fondé de leur demande. Mais, contrairement à ceux présents sur le territoire français, ils ne bénéficient ni du temps nécessaire pour s'y préparer ni d'une assistance, et ne peuvent, dans ce lieu de privation de liberté, étayer leur demande en réunissant les documents et témoignages nécessaires. L'entretien peut même se dérouler par téléphone, rendant plus difficile encore l'exposé des craintes.

Si la demande d'asile est considérée comme « manifestement infondée », les réfugiés ne peuvent pas entrer en France. Un recours devant le juge leur est certes ouvert, mais dans le temps très bref de quarante-huit heures, sans assistance juridique gratuite ni interprète pour le préparer. Le Comité contre la torture des Nations unies a rappelé en 2010 à la France la nécessité de prévoir à la frontière de bien meilleures garanties afin de ne pas renvoyer des réfugiés vers les risques qu'ils avaient précisément fuis. En vain.

Sur le sol français, les réfugiés peuvent aussi se retrouver enfermés dans l'un des vingt-cinq centres de rétention administrative avant d'avoir pu entamer leurs démarches. Ayant franchi la frontière sans document valable, ils ne peuvent pas justifier, en cas de contrôle d'identité, d'une entrée et d'un séjour réguliers en France. S'ils ne manifestent pas clairement leur intention de demander l'asile auprès des policiers, ils risquent d'être placés en rétention. Or, former une demande d'asile dans un tel lieu relève du défi ou de l'illusion. La demande d'asile doit être déposée obligatoirement en français dans les cinq jours, sans l'aide d'un interprète, et est automatiquement examinée selon une procédure accélérée avec une réponse dans les quatre-vingt-seize heures.

De telles conditions privent les candidats à l'asile d'une réelle possibilité de faire valoir leur droit à une protection internationale. La Cour européenne des droits de l'homme ne s'y est d'ailleurs pas trompée. Elle a condamné la France en février 2012 à propos d'un Soudanais, originaire du Darfour, arrêté dès son arrivée et condamné à un mois de prison pour entrée irrégulière et détention de faux documents (malgré son intention de demander l'asile), puis placé en rétention afin d'être expulsé vers le Soudan. Il risquait d'être renvoyé avant l'examen définitif et complet de sa demande par les juges de l'asile. L'intervention de la Cour européenne a fort heureusement empêché son renvoi, et il a finalement été reconnu réfugié. Depuis plusieurs années, l'ACAT, aux côtés d'Amnesty International France et de Human Rights Watch, demande la réforme de cette procédure d'asile. En dépit des promesses, la mise en conformité de notre droit se fait attendre[12].

Les chemins empruntés par les réfugiés sont parsemés de chausse-trappes, voies sans issue et pièges administratifs. Les persécutions qu'ils fuient ne sont souvent que le prélude à un long calvaire. Certaines situations s'apparentent à une succession de cas pratiques pour étudiants en droit, tant les candidats à l'asile ont à peu près tout vécu : les difficultés pour gagner l'Europe, l'enfermement à la frontière ou sur le territoire, ou encore le renvoi vers un autre pays européen. Pour certains, ce n'est que plusieurs mois, voire des années après leur fuite, qu'ils parviennent à faire enregistrer leur demande d'asile en France.

---

12. Cour européenne des droits de l'homme, arrêt de la grande chambre I.M c/ France (requête n° 9152/09) du 2 février 2012.

ERRER SANS FIN

Rohola Jafari
Afghanistan

Depuis plus de trois décennies, l'histoire de l'Afghanistan est marquée par des conflits meurtriers. L'invasion soviétique en décembre 1979 et la résistance opposée par les moudjahidines ont conduit à une guerre civile durable. Le Pakistan, l'Iran et les États-Unis ont apporté leur soutien logistique et financier aux opposants. Après le retrait des troupes soviétiques en février 1989, le conflit s'est poursuivi entre le régime de Mohammed Najibullah et les différentes factions d'origine pashtoune, tadjik, hazâra ou encore ouzbeke. Ces opposants au régime ont fini par se combattre entre eux.

La prise du pouvoir en 1996 par les talibans, majoritairement issus de l'ethnie pashtoune, a ouvert une ère politique ultraconservatrice et répressive jusqu'à l'invasion américaine en riposte aux attentats du 11 septembre 2001. Après la fuite des talibans et une période transitoire, une nouvelle constitution a été adoptée en 2004, faisant de l'Afghanistan une république islamique, où l'islam est la religion de l'État. 80% de la population est sunnite, 19% chiite. La Constitution proclame que « les disciples des autres religions sont libres d'exercer leur foi et de pratiquer leurs rites religieux dans les limites des dispositions de la loi ». Selon la loi islamique, le blasphème et l'apostasie peuvent être punis de la peine de mort.

Rohola Jafari est issu de l'ethnie kizilbash, très minoritaire, pratiquant l'islam chiite, l'une des branches de l'islam. Il vivait avec sa famille à Kaboul, où il est né en 1989. Comme nombre d'Afghans fuyant leur pays, il a emprunté les voies terrestre et maritime pour gagner l'Europe en passant par la Turquie, la Grèce et l'Italie, et s'est heurté au système Dublin.

En Afghanistan, je suis allé à l'école. Mais, rapidement, l'école a dû fermer à cause de la guerre. Mon père nous interdisait de sortir, car c'était dangereux. J'ai désobéi et j'ai vu dans la rue des morts qui étaient là depuis plusieurs jours. Personne n'enlevait les corps, les cadavres étaient tout gonflés, des animaux les mangeaient... J'ai encore toutes ces images dans ma tête. Je me demandais pourquoi je vivais dans cet enfer. Après la guerre, je sortais parfois avec des amis. Quand ils me demandaient de quelle religion j'étais et que je leur répondais que j'étais chiite, ils me disaient que ce n'était pas bien, que les chiites sont « kafirs » (mécréants). Je préférais ne rien répondre, sinon nous allions en venir aux mains. Je leur disais : « Ouais, t'as raison. »

La pression sociale est très forte en Afghanistan. Ma sœur était une bonne élève mais, lorsqu'elle a eu 15 ans, mon oncle et ma tante paternels ont décidé qu'elle devait arrêter ses études : ils voulaient qu'elle se marie. Les gens parlaient et ma sœur a fini par rester à la maison, où elle étudiait seule avec des livres. Les mentalités afghanes sont anciennes, mais mon père était différent, il avait suivi des études d'ingénieur en Russie et il me disait : « Prends un livre, apprends et décide par toi-même. »

En 2007, alors que j'avais 18 ans, j'ai pris des cours collectifs avec un professeur afghan qui avait étudié aux États-Unis. Il parlait quatre langues : l'arabe, l'anglais, l'italien et le français. J'ai appris un peu le français et surtout l'anglais avec lui. C'était un très bon enseignant. Lors d'une leçon particulière, j'ai eu besoin d'un dictionnaire. En le prenant dans sa bibliothèque, j'ai remarqué un ouvrage intitulé *Le Livre sacré*. Je lui ai demandé de quoi il s'agissait. C'était la Bible. Cet homme donnait aussi des cours de théologie : je pouvais y assister quand je voulais, mais il ne fallait surtout rien dire.

J'aime la lecture et j'avais confiance dans mon professeur, avec lequel j'ai commencé à lire les Écritures saintes. J'apprenais beaucoup avec lui. J'ai su que d'autres étudiants du cours d'anglais suivaient aussi ses cours sur la Bible. Il me prêtait des livres, mais je ne devais pas les montrer à l'extérieur. Je les cachais chez moi.

En août 2008, alors que je me rendais au cours, le professeur m'a appelé en me demandant de ne surtout pas venir car la police était entrée dans l'école et cherchait les élèves. Je suis vite retourné chez moi. Pour me mettre à l'abri, mon père m'a envoyé chez mon grand-père. La police est venue chez nous, elle me cherchait partout.

C'est mon père qui a organisé ma fuite. J'avais très peur car je n'avais jamais quitté l'Afghanistan. J'ai seulement pris un sac et un peu d'argent. Je ne savais pas où j'allais exactement en Europe ni combien de temps j'allais voyager. Pendant plus d'un an, je n'ai pas pu parler à ma famille.

Je suis d'abord allé en voiture à Quetta, au Pakistan. De là, je suis monté dans un pick-up avec dix autres personnes. Pendant tout ce trajet, ma seule préoccupation était de fuir à tout prix l'Afghanistan. Nous avons mis deux jours pour passer la frontière entre le Pakistan et l'Iran sur des routes poussiéreuses. L'un des passagers avait peur car nous roulions vite : il frappait sur le toit de la voiture pour qu'elle ralentisse. Le chauffeur s'est arrêté et l'a giflé. C'était très dangereux car la police iranienne tire facilement à cet endroit.

Nous sommes arrivés à Zahedan, en Iran, pour y rester un ou deux jours. Le passeur m'a dit que, grâce à mon visage, je n'aurais pas de problèmes car je ressemble à un Iranien, et qu'avec un vêtement propre je passerais sans problème. Nous sommes donc partis pour Téhéran, où je suis resté quelques jours.

Le passeur a organisé la suite du voyage dans une voiture avec quatre autres personnes jusqu'à la frontière turque. J'ai pu me procurer un passeport touristique iranien. Les hommes célibataires ont été séparés des familles. Chaque passeur avait un groupe d'une dizaine de personnes. Pendant deux semaines, nous avons marché à travers les montagnes, parfois pris des chevaux et des camions pour passer la frontière turque. C'était très dur. La nuit était glaciale et venteuse. Parfois, nous n'avions pas grand-chose à manger, mais il fallait avancer. Nous dormions dans des abris pour animaux. À un moment, nous nous sommes retrouvés une centaine de personnes. Je me demandais comment nous pourrions passer si nombreux, mais la police était sûrement payée. Quand nous marchions, nous entendions le bruit de tous ces pas.

Nous sommes arrivés la nuit de l'autre côté de la frontière, en Turquie, et nous avons été parqués dans

un lieu pour animaux. Des camions sont venus nous chercher pour nous conduire à Van. Les passeurs avaient chargé les camions au maximum. Nous étions une cinquantaine à l'intérieur sans pouvoir bouger, entassés les uns sur les autres.

De Van, j'ai pris un camion pour Istanbul. En Afghanistan, j'avais appris un peu de turc et j'ai discuté avec le chauffeur, me faisant passer pour un touriste iranien voulant retourner à Istanbul. Lors d'un contrôle de police, nous sommes passés sans nous arrêter et le chauffeur a même été salué par les gardes. Il m'a dit qu'il était policier. J'ai subitement rougi : j'étais en train de passer la frontière clandestinement avec un policier ! Je pense qu'il a bien compris la situation mais nous avons poursuivi notre route comme si de rien n'était.

À Istanbul, je suis resté deux semaines dans un appartement sans pouvoir sortir, de peur d'être arrêté et renvoyé en Afghanistan. Puis je me suis rendu à Izmir, près de la frontière grecque, avec une femme afghane, son mari, leurs deux enfants et deux jeunes gens. Le passeur nous avait donné un bateau gonflable, que nous avons gonflé pendant la nuit. Mais, quand nous nous sommes mis à ramer, nous nous sommes aperçus qu'il prenait l'eau.

La police turque nous a repérés et nous avons été emmenés au commissariat. Nous y sommes restés une semaine, enfermés dans une petite cellule avec une dizaine d'autres personnes. Nous étions tellement serrés que j'avais du mal à étendre mes jambes. C'était sale, à peine éclairé. J'étais trempé et je n'ai jamais pu me changer ni me laver. La plupart du temps, je me tenais recroquevillé. On nous nourrissait une fois par jour de tomates et de concombres avec du pain, parfois du fromage. Nous sommes passés devant un juge qui nous a relâchés en nous disant de ne plus revenir. Nous sommes alors retournés à Istanbul, où j'ai acheté un billet pour Bodrum. Avec les passeurs, nous avons pu monter dans un grand bateau à moteur et nous rendre en Grèce. Je ne sais pas où nous sommes arrivés exactement. La police grecque nous a remis des billets pour aller à Athènes. Mes économies étaient épuisées, je n'avais plus rien.

À Athènes, j'ai travaillé plusieurs mois dans une fabrique de chaussures pour gagner un peu d'argent afin de quitter la Grèce, car on ne pouvait pas demander l'asile là-bas. J'avais un ami qui jouait son argent au loto ; moi, c'est partir que je voulais. J'ai dormi dans la rue, sans rien. Sur les conseils de compatriotes, je me suis rendu au port de Patras pour essayer de passer en Italie. Chaque jour je tentais de me cacher sous un camion qui embarquait pour l'Italie. C'était très dur. Je dormais dans un camp avec d'autres Afghans. Je me nourrissais peu. Je n'ai jamais réussi à monter dans l'un de ces camions. Épuisé, j'ai décidé de retourner à Athènes.

Un jour, j'ai été attrapé par la police grecque, à qui j'ai montré un passeport belge. Les policiers m'ont demandé de faire la signature du passeport. Évidemment, je ne pouvais pas l'imiter. J'étais sur le point d'être expulsé en Turquie mais on m'a finalement relâché. Si j'étais repris, ils m'expulseraient certainement. J'ai pu acheter un autre passeport et c'est en avion que je suis arrivé à Berlin.

À l'aéroport, on ne m'a pas laissé passer. J'étais très fatigué et, après une nuit au poste, j'ai avoué être afghan. J'ai été conduit en prison à Berlin car j'étais venu sans passeport valable. J'y suis resté trois mois avec d'autres étrangers. Je ne comprenais pas pourquoi j'étais là, j'avais peur d'être expulsé en Afghanistan. Après être passé deux fois devant un juge, j'ai été libéré avec l'aide d'un avocat. Quand je suis sorti de prison, j'ai été hébergé dans un foyer. En Allemagne, tu ne peux pas quitter la ville où tu résides, sinon la police t'arrête. Mais les Allemands voulaient me renvoyer en Grèce car c'était le premier pays par où j'étais arrivé en Europe. Je leur ai dit que je n'avais pas d'empreintes en Grèce, et puis que c'était trop dur et sans espoir là-bas. Pour moi, le premier pays, c'était l'Allemagne. Je ne savais pas quoi faire et un ami m'a conseillé de partir.

J'ai acheté un billet de train pour Bruxelles et, avec mes derniers cent euros, un autre billet pour la gare du Nord. C'est en mai 2009 que je suis arrivé à Paris. J'ai cherché un magasin turc ou pakistanais et l'on m'a dit que les Afghans dormaient près de la gare de l'Est dans un parc (le square Villemin). J'ai cherché ce jardin plus d'une journée sans le trouver.

Quand j'ai vu qu'il n'y avait pas d'hébergement possible, que les Afghans dormaient dans un parc ou dans la rue, j'ai voulu partir en Angleterre. À la gare routière de Gallieni, j'ai essayé de me cacher dans un bus partant pour l'Angleterre. J'ai tenté ma chance plusieurs fois mais je n'ai pas réussi.

J'ai voulu demander l'asile ici. Trois fois la préfecture m'a dit non : je devais retourner en Allemagne. Je n'avais pas de papiers et j'ai été arrêté lors d'un contrôle. Je suis resté une journée en garde à vue avant d'être relâché car il n'y avait pas d'interprète. Quand je suis allé à la convocation de la préfecture, j'ai tout de suite été arrêté et envoyé cette fois-ci dans un centre de rétention à Paris. Le juge m'a demandé pourquoi j'étais en France. J'ai expliqué ma situation et il m'a libéré. J'ai finalement pu rester en France pour faire ma demande d'asile en novembre 2009.

J'ai cherché un hébergement et un travail pour gagner un peu d'argent. Je me suis fait des amis avec qui j'ai pu effectuer des travaux de peinture. J'ai dormi un an et demi dans un parc, tout seul, près de la place d'Italie. J'avais acheté une tente que je cachais pendant la journée. À côté du parc, il y avait des bains-douches et je pouvais rester propre la journée. Je préférais ne pas me mêler aux Afghans – c'est toujours le cas aujourd'hui. Un jour, je suis entré dans une église avec un ami afghan mais, pour lui, c'était comme un sacrilège. Il m'a dit que j'avais changé de religion. Je suis retourné plusieurs fois à l'église mais je préfère ne pas en parler.

À l'Ofpra, la première fois, l'interprète iranien avait dû mal à traduire certains mots dari que j'utilisais. L'officier de protection disait que je mentais. Pourtant, c'était bien mon histoire ! J'ai eu un second entretien pour m'expliquer et cela s'est mieux passé. J'ai été reconnu réfugié en mai 2010, mais mon histoire ne s'arrête pas là.

Après mon départ, la situation est devenue très dangereuse pour ma famille. La police a retrouvé la bible cachée chez moi. Et mon père et l'un de mes frères ont été arrêtés à ma place. Ils ont failli mourir. Mon père a été détenu six mois à la prison de Kaboul, et mon frère plus d'un an et demi avant qu'il ne puisse s'enfuir. Quand mon père a été libéré, il a réussi à payer pour faire évader mon frère. Ce dernier et mon autre frère sont venus tous les deux en Europe et nous nous sommes retrouvés à Paris en 2012. En prison, mon frère avait peur des viols. Depuis, il est très perturbé et triste. La nuit, il ne dort pas.

Mes parents et mes autres frères et sœurs ont dû fuir aussi. Ils sont maintenant en Iran. J'aimerais qu'ils viennent à leur tour. Ici, c'est mieux que là-bas. Il y a beaucoup de bibliothèques et ma sœur pourrait étudier. Cela fait trente ans que rien ne change en Afghanistan.

Témoignage recueilli le 30 novembre 2012
et le 14 mars 2013.

CHEMIN DE CROIX

Christian Kasongo
République démocratique du Congo

La République démocratique du Congo (RDC) est un vaste pays dont les autorités ne contrôlent pas l'ensemble du territoire. Depuis son indépendance en 1960, le pays, autrefois appelé « République du Congo » puis « Zaïre », est régulièrement secoué par des rébellions locales, éventuellement instrumentalisées par les États voisins, avec parfois des conséquences pour l'ensemble du pays, comme le renversement de Mobutu en 1997. Ces conflits meurtriers sont à l'origine de violations massives des droits de l'homme, particulièrement dans l'est du pays, depuis 1996.

Joseph Kabila, qui a succédé à son père Laurent-Désiré Kabila (assassiné en 2001), a constitué un régime autocratique et largement corrompu reposant sur les organes de sécurité et de renseignement. Afin de s'assurer une légitimité par les urnes et de bénéficier d'une reconnaissance internationale, le clan Kabila n'a pas lésiné sur les dépenses, publiques ou opaques, afin de conquérir le vote des Congolais lors des élections présidentielles de 2006 et de 2011. Lors de la première élection dite démocratique, en 2006, tous les moyens étaient bons pour acheter des voix et éviter une victoire du principal opposant, Jean-Pierre

Bemba. La violence, les intimidations et les menaces ont également été abondamment utilisées pour assurer un contrôle sur les électeurs et freiner les opposants et leurs sympathisants.

C'est à cette époque que Christian Kasongo, pasteur à Kinshasa, a été victime ainsi que sa famille de graves persécutions. Contraint à l'exil durant cinq ans au Congo Brazzaville, il a dû fuir plus loin encore pour assurer sa sécurité. Il a fini par gagner la France en février 2010 après une errance en Europe.

Aujourd'hui encore, en RDC, les défenseurs des droits de l'homme et les voix critiques à l'égard de la politique du président Joseph Kabila, réélu en 2011, sont régulièrement menacés et persécutés par le pouvoir.

Mon père était pasteur et, après des études supérieures de théologie, je le suis devenu à mon tour. J'exerçais mon ministère à Kinshasa, où je jouissais d'une certaine notoriété, étant reconnu comme pouvant réunir une foule nombreuse lors de prêches.

En février 2004, j'ai créé une association pour assister les personnes les plus vulnérables, dont l'objet était d'évangéliser les populations, de prêter une assistance financière et matérielle aux églises et aux personnes en détresse, et de favoriser la réinsertion socio-économique des plus pauvres.

À l'époque, les politiciens cherchaient des pasteurs prêts à les soutenir. Ils leur proposaient de l'argent pour venir discourir lors des prêches. J'ai été sollicité par le Parti du peuple pour la réconciliation et la démocratie lors d'une réunion organisée dans le but d'amener les églises à soutenir Joseph Kabila. J'ai refusé l'argent destiné à m'acheter.

Dans mon pays, la corruption est monnaie courante et je voyais le danger d'une Église divisée. Je ne me définis pas comme un militant anticorruption mais, en tant que pasteur, je devais me lever pour défendre l'Église. Le pasteur doit être au milieu du village et non le diviser en prenant partie pour tel ou tel politicien.

À la suite de mon refus de la corruption, j'ai commencé à recevoir des intimidations. J'ai été convoqué à trois reprises par l'Agence nationale de renseignements (ANR) sous prétexte que les bureaux de l'association n'étaient pas conformes aux règles d'hygiène. J'ai même été arrêté par un agent de l'ANR considérant que je prêchais la haine. Puis ces pressions ont pris la forme de menaces de mort adressées par téléphone alors que j'avais prévu d'organiser un séminaire pour conscientiser les pasteurs face aux tentatives de corruption politique. Lors de ce séminaire, qui s'est tenu en novembre 2004, la police anti-émeute a fait irruption. J'ai été violemment frappé avant d'être arrêté puis conduit au commissariat. Mais, grâce à l'intervention de pasteurs et de gens du quartier, j'ai été évacué à l'hôpital, d'où j'ai pu m'échapper.

J'ai appris que ma famille avait été victime de représailles. Deux soldats ont violé ma nièce. Ma sœur aînée a été tuée d'une balle dans le sexe. Ma femme a fui avec l'un de nos quatre enfants. J'ai décidé de fuir Kinshasa, d'abord pour Brazzaville, puis Mindouli, dans le Pool. À Brazzaville, je n'étais pas en sécurité car il y avait eu des enlèvements de demandeurs d'asile congolais, Kinshasa et Brazzaville étant deux villes proches, simplement séparées par le fleuve Congo. J'ai pris le train à Brazzaville et, quand j'ai vu Mindouli, où il semblait y avoir une activité importante, je suis descendu. C'était comme une marche pour la foi, je me sentais comme un missionnaire. J'ai cherché une église et expliqué ma situation au pasteur, qui a accepté de m'accueillir. Il ne fallait surtout pas révéler mon identité car, au Congo-Brazzaville (République du Congo), les Congolais de RDC sont mal vus : on les accuse de soutenir le pouvoir de Sassou Nguesso, contre lequel les habitants du Pool se sont battus dans le passé.

Je restais sur la réserve et j'avais du mal à donner ma confiance. Trois de mes enfants m'ont rejoint en décembre 2004. Je suis resté cinq ans à Mindouli, espérant toujours pouvoir rentrer chez moi quand Kabila serait parti, mais les choses ne se sont pas passées ainsi. Mon identité a été découverte et les villageois m'ont menacé : « Laisse le serpent tuer le Zaïrois. » Suspecté de soutenir Sassou, qui se présentait alors à l'élection présidentielle de 2009 au Congo-Brazzaville, j'ai été arrêté deux fois et détenu pendant quarante-six jours avant d'être libéré grâce à l'intervention de l'Église locale. J'ai laissé mes trois enfants au pasteur et j'ai fui.

Ma route de l'exil m'a d'abord conduit en République centrafricaine, que j'ai gagnée en bateau et en camion avant de traverser la frontière à pied. Puis, de Bangui, j'ai pris un avion-cargo affrété pour la Somalie. Je me suis retrouvé dans ce pays sans vraiment savoir ce qui s'y passait. Comme je ne pouvais pas y rester, j'ai embarqué avec une dizaine de Somaliens sur un bateau de pêche pour rejoindre la Turquie. Pendant toute la navigation, nous devions rester couchés. Je ne comprenais rien de ce qui se disait. Je voyais seulement la mort. Il y a eu une forte tempête et notre embarcation a fait naufrage.

Nous avons été récupérés par un bateau de la marine grecque, remis entre les mains de la police,

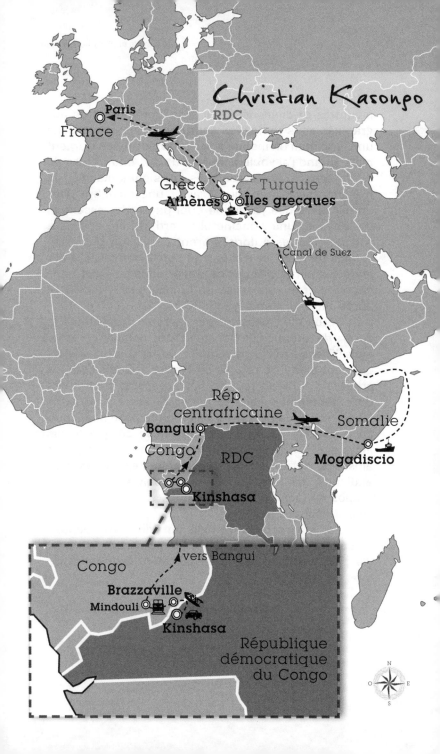

menottés et emmenés pour être identifiés et photo-
graphiés sous toutes les coutures. Nous étions dans
une île, c'était un monde à part. J'avais un peu d'argent
mais, quand j'ai voulu acheter du pain, on a refusé de
me le vendre. J'ai passé trois jours sans manger. Je
n'ai pas réussi non plus à avoir une chambre pour
dormir alors que j'avais de quoi payer. Je ressentais
du racisme. Une semaine plus tard, j'ai été envoyé à
Athènes, où les autorités m'ont donné un récépissé
valable un mois. Je n'ai pas pu demander l'asile, alors
je devais partir. J'ai décidé d'aller dans un pays fran-
cophone et je suis arrivé en France en février 2010,
après avoir fui mon pays fin 2004.

Après mon passage par la zone d'attente et le
centre de rétention de Bobigny, j'ai pu demander l'asile,
mais l'Ofpra a rejeté ma requête. Je me suis dit : « Mais
qui peut bien être réfugié en France ? Quels sont les
critères ? » J'avais tout expliqué et même montré des
documents, mais cela n'a pas suffi. Devant la CNDA
(Cour nationale du droit d'asile), on te pose beaucoup
de questions. Ils remettent en cause ce que tu dis
alors que tu l'as vécu. C'était une épreuve d'exposer
ainsi ma vie devant d'autres personnes. Après mon
audience, des informations ont circulé sur Internet à
propos de mon histoire. Même ici, en France, j'ai été
sollicité par des politiciens.

J'ai été reconnu réfugié en juin 2011. Depuis,
j'essaye de faire venir mes enfants auprès de moi.
J'espère y arriver mais c'est tellement long de réunir
tous les papiers.

Témoignage recueilli le 25 juin 2012.

LES PÉRILS DE L'EXIL

Alpha Conté
Guinée

Alpha Conté, ressortissant guinéen, a découvert son homosexualité à l'adolescence. Il a entretenu des relations avec des hommes dans la plus grande discrétion, craignant des représailles si son orientation sexuelle était découverte. L'article 325 du code pénal guinéen punit en effet l'homosualité d'une peine d'emprisonnement de six mois à trois ans, et le climat social est hostile aux personnes homosexuelles. En 2006, il a vu son frère lynché par des villageois qui l'avaient surpris avec un homme.

Alpha Conté a réussi à cacher son homosexualité jusqu'en 2007. Cependant, dénoncé, il a été victime à son tour de la vindicte populaire. Il a fui son village pour se réfugier dans une autre ville. Découvert et victime de menaces, il a quitté précipitamment la Guinée pour échapper aux violences. Commence alors pour lui un long périple parsemé de difficultés et de dangers qui ne s'arrêteront malheureusement pas une fois gagné le sol français.

J'ai quitté la Guinée et je me suis enfui au Sénégal. De là, le peu d'argent que j'avais m'a servi à payer quelqu'un pour me permettre d'aller jusqu'au

Maroc. J'y ai travaillé quelque temps et, quand j'ai eu assez d'argent, j'ai versé 1 500 euros à des Marocains pour qu'ils m'aident à me rendre à Istanbul, en Turquie.

Arrivé à Istanbul, j'ai rencontré d'autres ressortissants africains qui m'ont conseillé de ne pas rester. J'ai entendu dire que certaines personnes se faisaient enlever à Istanbul et prélever leurs organes : j'ai eu peur et je suis allé à Izmir, où l'on m'a adressé à un Sénégalais en qui je pouvais avoir confiance. Cet homme m'a fait travailler avec lui une ou deux semaines. Je devais aller chercher des touristes à la gare et les conduire à l'hôtel. Puis il m'a aidé à quitter la Turquie pour aller en Grèce. Ça a été une épreuve difficile.

La veille de notre départ pour la Grèce, il y a eu un accident. Une trentaine de personnes voulaient traverser par bateau, comme nous, mais elles ont eu un problème avec l'embarcation et au moins quatre sont mortes. J'étais découragé : je devais prendre ce même type de bateau gonflable le lendemain. J'ai voulu renoncer, mais deux filles m'ont dit qu'elles allaient passer quand même. Je me suis dit que, si elles pouvaient le faire, je le pouvais aussi. De toute façon, je préférais mourir dans l'eau que retourner en Guinée.

Le passeur nous a conseillé d'acheter des gilets et des ballons gonflables, au cas où le bateau coulerait. Je me suis donc équipé et je suis parti le soir. Pour faire le trajet d'Izmir jusqu'au lieu d'embarquement, nous sommes montés dans une fourgonnette. Nous étions trente-cinq cachés là-dedans. Il n'y avait pas d'air, nous étouffions. Il y avait même une femme enceinte qui peinait vraiment. Arrivés sur le lieu d'embarcation, nous avons dû nous cacher dans la végétation et attendre le milieu de la nuit pour partir.

Les passeurs ont rapidement montré à l'un d'entre nous comment manipuler le bateau. Ils nous ont dit d'aller tout droit vers la lumière bleue en face. Le trajet a été très long : nous avons passé au moins cinq heures et demie sur cette petite embarcation surchargée avant d'arriver enfin sur l'île de Samos, en Grèce.

Après avoir accosté, nous sommes montés vers des villages. Des habitants nous ont montré la grande route qui conduit au centre-ville. Nous avons marché plus de trente-cinq kilomètres à pied ! Nous étions épuisés. Un autre homme et moi-même avons aidé la femme enceinte car elle avait beaucoup de mal à marcher. Arrivés en ville, nous avons commencé par chercher la police pour qu'on nous donne au moins à manger et à boire. Au début, les policiers ont refusé de nous emmener. Nous étions tous épuisés, incapables de marcher, alors nous nous sommes couchés devant le commissariat. En fin de journée, la police a fini par venir et nous a conduits à l'hôpital pour des contrôles de santé. Puis nous sommes partis pour un camp d'étrangers, où j'ai été enfermé dix jours. J'étais complètement perdu. Il y avait des tensions entre les gens du camp, c'était très angoissant.

Après ces dix jours, les policiers nous ont appelés pour nous remettre un papier nous demandant de quitter le pays. Ils nous ont donné un billet de bateau pour nous rendre à Athènes, d'où nous devions quitter la Grèce. Nous n'avons même pas pu faire de demande d'asile en Grèce, on nous a juste dit de partir.

Nous avons pris un bateau de tourisme et nous sommes arrivés à Athènes le lendemain matin. Je ne savais ni quoi faire ni où aller. J'ai vécu près d'un mois avec d'autres Africains dans un parc public. Je n'ai pas pu me laver pendant vingt-cinq jours ! Dans ce parc, tous les matins à 6 heures, les policiers venaient nous réveiller en nous frappant. Ils nous traitaient comme des animaux. Je savais que le papier qu'on m'avait donné dans le camp ne me laissait qu'un mois pour quitter le pays : après, les policiers pouvaient nous mettre en prison, ou pire, nous renvoyer dans notre pays. J'ai donc cherché un moyen de me sortir de là.

Un homme m'a proposé de travailler trois mois pour lui dans un champ d'oliviers, en échange de son aide pour rejoindre la France. J'ai accepté car je n'avais pas d'autre solution. Après mes trois mois de travail, il a pris ma photo d'identité et m'a donné des faux papiers. Il avait une connaissance à l'aéroport qui était dans le coup et qui a fermé les yeux sur mes papiers d'identité. C'est ainsi que j'ai pu prendre l'avion jusqu'à Roissy, où je suis arrivé en mars 2009, sept mois après mon départ de Guinée.

Lorsque j'ai voulu déposer une demande d'asile en France, on m'a dit que, étant passé par la Grèce, je pouvais avoir des problèmes. On m'a conseillé de tout faire pour éviter que les employés de la préfecture ne s'en aperçoivent, sinon ils me renverraient en Grèce et refuseraient que je demande l'asile ici. J'avais appris que c'est en prenant les empreintes des gens qu'ils pouvaient savoir par où ils étaient passés. Pour éviter cela à tout prix, je me suis tailladé le bout des doigts, puis, comme on me l'avait conseillé, j'ai mis mes mains dans l'eau de Javel pendant une heure et demie. Ensuite, avec un rasoir Bic, je me suis gratté la peau de la main. Le lendemain, je suis allé à la préfecture mais ça n'a pas marché : ils ont réussi à prendre mes empreintes malgré tout et ont vu que j'étais passé en Grèce. Ils m'ont alors mis en « procédure Dublin » : je ne pouvais pas demander l'asile en

France. Ils m'ont dit qu'ils allaient contacter la Grèce pour me renvoyer là-bas. Ils m'ont donné un papier et m'ont dit de revenir tous les trois mois à la préfecture en attendant la réponse de la Grèce. Au bout de trois mois, la Grèce avait donné sa réponse : je devais repartir là-bas.

Je ne voulais pas. J'avais vu comment les Grecs nous traitaient et je savais que ma demande d'asile ne serait pas examinée, que la seule chose qu'ils feraient serait de me renvoyer en Guinée. Or, me renvoyer en Guinée, c'était me renvoyer vers la mort.

Il fallait vraiment que je puisse demander l'asile en France. J'ai décidé d'aller dans une autre préfecture en tentant une autre méthode. Des Africains m'ont conseillé de me brûler l'extrémité des doigts. Je me suis alors brûlé les dix doigts dans une poêle très chaude avec de l'huile. Ça fait horriblement mal : toutes les terminaisons nerveuses sont là. J'avais même les bras gonflés jusque sous les aisselles, où j'avais des ganglions. Avant d'aller à la préfecture, le lendemain, j'ai utilisé un gel pour cheveux afin de rendre mes mains lisses et de masquer les traces de brûlure. À la préfecture, quand la dame a voulu prendre mes empreintes, ça ne marchait pas : elle a essayé plusieurs fois mais la machine ne pouvait pas lire d'empreintes. Elle a alors pris un coton avec de l'alcool pour me frotter les mains avec. J'ai bondi de douleur. Elle a vu que j'avais les mains brûlées et elle a eu de la peine pour moi. Elle m'a dit que j'aurais dû la prévenir, qu'elle n'aurait pas passé d'alcool si elle avait su. Je lui ai fait pitié. Elle m'a conseillé d'aller à la pharmacie au plus vite pour me soigner et m'a dit qu'il ne fallait plus revenir ici, sinon les policiers m'attraperaient pour me renvoyer en Grèce.

Après ces tentatives, je n'avais plus de solution. Des associations m'ont dit que je devais attendre car, au bout de dix-huit mois, la France ne pourrait plus me renvoyer en Grèce. J'ai donc vécu un an et demi dans la clandestinité, avant de pouvoir retourner à la préfecture, où j'ai enfin pu effectuer ma demande.

Je suis arrivé en France il y a plus de trois ans et ma demande est toujours en cours. J'ai eu un entretien à l'Ofpra en janvier 2012, mais la personne qui m'a reçu n'a pas été respectueuse avec moi. Elle m'a fait passer un véritable interrogatoire. En sortant, je savais que ce serait un rejet, et c'est ce qui est arrivé en juillet 2012. Il me reste maintenant à faire appel devant la CNDA. Si je n'avais pas tout ce passé derrière moi en Guinée, si je n'y risquais pas la mort, je serais retourné au pays depuis longtemps.

Depuis ce témoignage, recueilli le 10 juillet 2012, Alpha Conté a été débouté du droit d'asile par la CNDA en janvier 2013.

FUIR L'ESCLAVAGE

Abdoulaye Sow
Mauritanie

Officiellement, l'esclavage a été aboli en Mauritanie en 1981 et, depuis 2007, il s'agit d'un crime passible de dix ans d'emprisonnement. Dans la pratique, il demeure répandu et largement impuni. Il concerne ceux qu'on appelle les Haratines, descendants des Noirs asservis depuis plusieurs générations au service des Maures blancs, qu'on appelle les Bidhans. Le nombre d'esclaves est difficile à évaluer mais ils seraient plusieurs centaines de milliers. Les esclaves sont à vie sous l'autorité d'un maître et le plus souvent coupés de leur famille d'origine. Ils se voient confier les travaux les plus ingrats. La pratique veut par ailleurs qu'un maître puisse exercer un droit de cuissage sur toutes les femmes esclaves qui travaillent à son service.

Le gouvernement mauritanien nie l'existence de ce fléau et les militants anti-esclavagistes font régulièrement l'objet de violences. Certains d'entre eux ont été condamnés en janvier 2011 à un an de prison après avoir participé à une manifestation de soutien à deux jeunes filles réduites en esclavage. Le traitement réservé à ces militants montre à quel point dénoncer la persistance de l'esclavage en Mauritanie dérange.

Abdoulaye Sow est un ancien esclave qui a fui la Mauritanie en 2007.

Je suis né à Sélibaby, dans le sud de la Mauritanie, près de la frontière avec le Sénégal. Je suis allé à l'école mais, à l'âge de 12 ans, j'ai été enlevé par un Maure blanc, alors que je me promenais. Il y avait d'autres personnes enlevées avec moi, mais on nous a séparés afin de nous empêcher de comploter pour fuir... Je suis resté esclave pendant trente et un ans.

Le matin, tu te réveilles très tôt. Tu trais les brebis puis tu vas à pied dans la brousse avec les bêtes, parfois à douze ou treize kilomètres, où tu restes jusque vers 17 heures. Tu reviens à la maison pour traire encore les brebis et séparer les petits de leur mère. Puis tu fais le thé et tout ce que le maître te demande.

Tu es obligé d'exécuter tous les travaux : labourer, porter des choses lourdes, des tâches très pénibles. Si tu n'obéis pas, il y a la chicotte (fouet en cuir) ou les fers. On te frappe jusqu'à ce que le sang sorte de toi, c'est pénible, pénible, pénible... Je peux montrer les cicatrices présentes sur mon corps ; je pense qu'elles vont rester toute ma vie.

Tu n'as rien à toi, aucune liberté. C'est le maître qui choisit tout, tu ne fais qu'exécuter. Tu ne manges que des restes, si le maître le veut bien, sinon tu n'as rien : c'est comme ça, c'est dur. Même pour aller aux toilettes, quelqu'un te suit pour que tu ne t'enfuies pas ; dès que tu ouvres la porte pour sortir des toilettes, il te ramène.

La plupart des surveillants sont noirs comme nous, des Haratines, des affranchis. Je ne sais pas s'ils sont payés par le maître ou s'ils ont des liens de parenté avec lui. Tout ce que le maître dit, ils le font, et nous obéissons. Obéir au maître devient une habitude. Tu n'as pas le choix car tu es seul face à des gens costauds qui peuvent te tuer à tout moment.

Mon mariage ? C'est mon maître qui a choisi mon épouse. Je ne pouvais pas refuser. À l'approche de la fête de la Tabaski (ou Aïd al Kabîr), nous sommes allés au Sénégal. Deux semaines avant cette célébration, il y a une foire, un très grand marché. C'est là que le maître a choisi ma femme. Ce n'était pas une esclave, elle étalait sa marchandise pour la vendre. Peut-être que mon maître la connaissait, elle ou ses parents, je ne sais pas. Nous sommes restés deux ou trois semaines, puis je suis rentré avec mon maître à Sélibaby. La femme est restée au Sénégal. Je n'ai eu le droit de revenir que l'année suivante. Plus tard, elle m'a donné des filles.

La fuite ? J'y pensais tout le temps. J'avais mes plans pour m'échapper. À 20 ans, j'ai tenté de m'évader, mais j'ai été rattrapé. Mon maître m'a puni en me faisant subir des tortures. Il m'a même fait incarcérer, prétextant que j'avais volé du bétail. Les policiers aussi m'ont torturé pendant ces deux mois en prison. À ma sortie, j'ai pris un très grand nombre de médicaments : j'étais fatigué et je voulais mettre fin à ce calvaire en mourant. On m'a soigné et je me suis senti mieux physiquement, mais, moralement, j'étais complètement découragé. Le chef s'est mis à penser que j'étais fou, dérangé : « Lui, c'est le fou, celui qui prend des médicaments ; il faut qu'on fasse attention sinon on risque de le perdre. » Comme il fallait que je reste en bonne santé pour travailler, le surveillant tenait les médicaments loin de moi.

Ma seconde fuite a été la bonne. J'étais esclave depuis plus de trente ans. Lors de l'élection du nouveau président mauritanien, en mars 2007, ses partisans ont célébré sa victoire. Les surveillants nous ont un peu oubliés à cause de la fête. Je les observais pour savoir à quel moment fuir, et je me suis faufilé vers la route pour rejoindre Nouakchott, la capitale.

J'ai fait le voyage à pied. Tu arrives dans un village, on te donne de quoi manger, tu continues, tu continues, tu continues... mais tu as toujours l'impression qu'ils sont derrière toi pour te rattraper. À Nouakchott, j'ai rencontré par hasard un ami qui connaissait ma famille. Je lui ai expliqué mon enlèvement à l'âge de 12 ans et ma fuite. Il a accepté de m'aider en me faisant travailler avec les dockers pendant un peu plus de deux mois. Vivre à Nouakchott, j'en avais rêvé, mais pourtant je n'étais pas tranquille... Je craignais que mon maître finisse par me retrouver.

Il m'était impossible de traverser la frontière pour aller au Sénégal rejoindre mon épouse et nos filles. Mon maître avait sûrement signalé à tous les postes de frontière qu'il avait perdu son esclave. Mon ami m'a proposé d'embarquer sur un bateau avec l'accord du commandant. Je ne savais pas où j'allais, en France ou au Maroc. Je voulais juste sauver ma peau. Tout a été arrangé avec le commandant. Lorsque celui-ci m'a dit qu'on arrivait en France, je ne le croyais pas, et puis j'ai vu : c'était tellement différent de là d'où je venais... Lorsque j'ai posé le pied au sol, je me suis dit : « Loué soit Dieu, je suis sauvé ! »

Je ne savais pas ce qui m'attendait mais j'avais quitté mon maître : tout était possible désormais. C'était en décembre 2007. Je savais que des compatriotes vivaient à Dole. Je ne pouvais pas même prononcer ce nom, « Dole ». Le commandant s'est renseigné : Dole, c'est en Franche-Comté, et il faut prendre le TGV. Mais je ne connaissais pas le TGV et je ne savais pas où prendre ce TGV ! Le commandant m'a répété : « Ma mission s'arrête là, c'est à toi de te débrouiller. »

Paris

Dijon

Dole

France

Abdoulaye Sou
Mauritanie

Mauritanie

Nouakchott

Sélibaby

N
O · E
S

Arrivé à Paris, je demandais mon chemin au hasard à des passants mais on ne me répondait pas. Les gens pensaient peut-être que j'étais fou. Parfois, la personne s'arrêtait mais n'arrivait pas à comprendre « Dole ». Finalement, une femme m'a renseigné. Je ne connaissais pas l'ordinateur. Je l'ai vue chercher et elle m'a expliqué : « Tu vas en gare de Lyon, tu prends le TGV jusqu'à Dijon puis le TER, soixante-dix kilomètres. » Je me suis faufilé dans le métro et je suis arrivé à la gare de Lyon, j'ai pris le TGV, je suis descendu à Dijon. Je savais que je n'étais pas encore à Dole. On m'a mis sur la route et j'ai pris un car.

Arrivé à Dole, j'ai demandé à des Noirs s'il y avait des Mauritaniens, mais ils ne savaient pas : « Moi, je suis du Congo, du Gabon, du Cameroun… » Finalement, je suis tombé sur un Mauritanien qui m'a mis en contact avec un certain Ba Abdoul. C'est lui qui m'a suggéré de demander l'asile.

Depuis que je suis en France, j'ai appris par des compatriotes que mon ex-maître me faisait rechercher par la gendarmerie : il est si furieux qu'il a porté plainte contre moi pour vol de bétail (son bien le plus précieux), affirmant qu'en plus de l'avoir humilié par ma fuite je portais de faux témoignages en l'accusant d'être un esclavagiste. Pour avoir vécu trente et un ans près de lui, je le connais bien ; je sais qu'il ne lâchera jamais l'affaire : il me fera poursuivre jusqu'à ce que je sois puni d'avoir eu l'audace de m'évader.

Ma première demande d'asile a été rejetée : mon recours n'a pas marché car le centre d'accueil de demandeurs d'asile (Cada) qui s'en est occupé a envoyé les documents trop tard. J'ai dû quitter le Cada de Dole. J'ai fait une demande de réexamen qui a aussi échoué. Enfin, l'ACAT m'a aidé à formuler une troisième demande, mais le document que j'ai fourni n'a pas été jugé authentique par l'Ofpra ni par la CNDA.

Depuis, ma vie est difficile. Mes compatriotes et amis se cotisent pour m'aider : s'ils arrêtent, je ne sais pas ce que je deviendrai. Je suis là depuis cinq ans et c'est comme au premier jour. Je fais encore des cauchemars où je vois mon maître et je crie. On me réveille, on me calme : « Tu ne vois rien. » C'est tellement difficile : je ne peux pas rentrer et je dois attendre. J'espère maintenant être régularisé après ces cinq années passées en France.

Tout ce que j'ai vécu au pays est vrai : les violences, la soumission, l'absence de liberté. Je suis sauvé car j'ai quitté la Mauritanie, mais je pense aux autres qui sont toujours là-bas. Il y a des milliers d'esclaves en Mauritanie. Le gouvernement peut oublier, mais tout le monde sait que ça existe, même les États le savent. Tout cela, c'est de la politique.

Témoignage recueilli le 10 décembre 2012.

TROISIÈME PARTIE
ICI. (SUR)VIVRE EN FRANCE

« Le droit d'asile s'impose à nous tant par nos enga-
gements internationaux que par l'histoire même de la
France et la tradition d'accueil des réfugiés qui a fait
l'honneur de notre pays », écrivait François Hollande
au cours de la campagne présidentielle de 2012[13].
À l'instar de ces mots du Président, le discours des
hommes politiques de tout bord entretient volontiers
l'image d'une France terre d'asile. Or, la réalité vécue
par les candidats à l'asile est très différente.

Évolution des demandes de protection internationale devant l'Office
français de protection des réfugiés et apatrides (Ofpra)

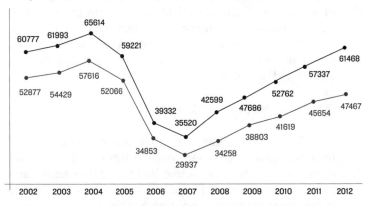

- Premières demandes et réexamens : adultes et enfants les accompagnant
- Premières demandes et réexamens : adultes seulement

---

13. Réponse de François Hollande à une interpellation de l'ACAT.

Après le choc du départ et l'errance, les réfugiés vont se heurter en France au labyrinthe administratif de la demande d'asile. Il y a ceux, suffisamment armés, qui maîtrisent le français et nos codes ou disposent d'un réseau pouvant les aiguiller dans ce dédale, et les autres. Ceux-ci devront alors se repérer parmi une multitude d'acteurs institutionnels et associatifs aux rôles bien différents : les plateformes de premier accueil, gérées soit par l'État, soit par des associations ; la préfecture, qui autorise le séjour en France ; l'Office français de protection des réfugiés et apatrides (Ofpra), établissement public en charge de l'examen des demandes d'asile ; la Cour nationale du droit d'asile (CNDA), saisie en cas de rejet de la demande par l'Ofpra, etc. Tout réfugié vit avec une paperasse de plus en plus envahissante au fur et mesure qu'il progresse dans son parcours d'asile, avec ses détours et impasses. Confronté à la barrière de la langue, il ne comprend pas forcément tous ces documents. Certains les classent consciencieusement, d'autres les dispersent ou les perdent, faute de disposer d'un lieu de vie bien à eux.

Forcer les portes de la préfecture

Pour tout candidat à l'asile présent sur le territoire français, la première porte à franchir est celle de la préfecture, service public de l'État placé sous l'autorité du ministère de l'Intérieur. C'est elle qui lui remet le formulaire à remplir destiné à l'Ofpra. Déjà, les premières difficultés surgissent : ce passage obligé par la préfecture implique de disposer d'une adresse fiable à laquelle arriveront toutes les correspondances. Les réfugiés se mettent alors en quête d'une adresse chez des compatriotes ou auprès d'associations agréées par l'État pour y être domiciliés. Ils mettent parfois des mois pour l'obtenir, les associations étant limitées dans le nombre de domiciliations qu'elles accordent et l'État peu enclin à organiser d'autres formes de domiciliation postale.

Une fois son adresse en poche, il faut pouvoir accéder au guichet de la préfecture. Attendre, revenir à de nombreuses reprises au risque d'être arrêté sans papiers puis se résoudre à dormir devant les portes de la préfecture pour espérer y pénétrer dès l'ouverture. Les services préfectoraux sont à la fois submergés, en raison des multiples contrôles qu'ils effectuent, et en sous-effectifs. Ils restreignent l'accès à leurs guichets en limitant le nombre de personnes pouvant être reçues chaque jour, en violation flagrante de la liberté fondamentale de l'asile, comme le leur rappellent régulièrement les tribunaux.

Un parcours semé d'obstacles

Ce sont les préfectures qui accordent ou refusent le séjour[14] le temps de l'instruction de la demande d'asile. Un peu comme un aiguilleur, elles décident de la voie procédurale qui sera empruntée par le réfugié. Il existe une voie normale (le séjour est accordé mais ne permet pas de travailler, sauf exception) et une voie rapide (le séjour est refusé et aucun droit au travail accordé). La première, bien qu'imparfaite, offre de meilleures garanties. La seconde est inconsidérément risquée. Bien mal nommée, elle porte le nom de « procédure prioritaire » mais n'offre aucune garantie louable.

---

14. Le terme « séjour » signifie une autorisation provisoire de rester en France le temps de la procédure d'asile.

Les réfugiés empruntant la voie normale bénéficient d'un accès à un centre d'accueil de demandeurs d'asile (Cada) ou, à défaut, d'une allocation de survie d'environ 330 euros par mois (11,20 euros par jour). Ceux placés en procédure prioritaire sont tolérés sur le territoire français le temps de l'examen accéléré de leur demande d'asile et ne bénéficient d'une aide financière – extrêmement réduite – que jusqu'à la décision de l'Ofpra (504 euros en moyenne)[15]. En 2012, ce sont près de 14 800 personnes qui ont ainsi été placées sur cette voie prioritaire, soit 31,2 % de la demande globale. Les restrictions de séjour se sont multipliées, au nom d'un discours présentant les réfugiés comme détournant le droit à une protection internationale, et les préfectures usent abusivement de la voie prioritaire.

Qui se retrouve sur cette voie prioritaire ? Il y a d'abord les ressortissants originaires de pays supposés « sûrs », selon une liste fixée sans grande transparence par le conseil d'administration de l'Ofpra[16]. Cette liste devait à l'origine être commune aux États membres de l'Union européenne, mais, faute d'accord, chaque État a produit sa liste nationale. Pour être

15. En procédure prioritaire, l'Ofpra traite les premières demandes dans un délai moyen de quarante-cinq jours sur le territoire métropolitain, soit 11,20 euros x 45 jours versés en tout et pour tout, et ce même si un recours contre un rejet de l'Office est formé.

16. En mars 2013, figuraient sur cette liste : l'Arménie, le Bénin, la Bosnie-Herzégovine, le Cap-Vert, la Croatie, le Ghana, l'Inde, la Macédoine (ancienne République yougoslave de Macédoine), Maurice, la Moldavie, la Mongolie, le Monténégro, le Sénégal, la Serbie, la Tanzanie, l'Ukraine. Saisi par des associations de défense du droit d'asile, le Conseil d'État a annulé à trois reprises (en 2008, 2010 et 2013) l'inscription ou le maintien de l'Albanie et du Niger, de l'Arménie, de la Turquie, de Madagascar et du Mali (pour les femmes seulement), et enfin du Bangladesh. Le conseil d'administration de l'Ofpra a ajouté certains pays, comme l'Albanie, ou en a retiré tardivement d'autres, comme le Mali, fin 2012.

« sûr », un pays doit respecter l'État de droit, les libertés et les principes de la démocratie. Malgré cette définition, se sont retrouvés sur la liste française des pays en guerre, comme la Géorgie en 2008, d'autres sous l'emprise d'un coup d'État, à l'instar de Madagascar en 2009 et du Mali en 2012, ou représentant un nombre élevé de demandes d'asile, indépendamment de la situation réelle de risque qui y prévaut, tel le Bangladesh. Cette liste sert en réalité à réguler la demande et à dissuader les candidats à l'asile : être ressortissant d'un pays « sûr » signifie moins de droits et, pour l'État, une baisse des coûts.

Procédure prioritaire (hors mineurs accompagnants)

Date	Procédure prioritaire	% demande générale
2000	3 414	8,9
2001	3 724	7,7
2002	4 388	8,3
2003	5 223	9,6
2004	9 205	16
2005	12 056	23,3
2006	10 698	30,7
2007	8 376	28
2008	10 527	30,7
2009	8 632	22
2010	9 973	24
2011	11 899	26,1
2012	14 796	31,2

Source : rapports annuels d'activité de l'Ofpra

Les préfectures placent aussi en procédure prioritaire ceux qu'elles suspectent d'abuser du droit d'asile parce qu'ils ne l'ont pas immédiatement sollicité après leur arrivée en France, ceux qui formulent une nouvelle demande après un premier échec ou ceux dont les empreintes digitales sont illisibles. Enfin, les étrangers constituant une menace grave pour l'ordre public ou ceux sous le coup d'une mesure d'éloignement (obligation de quitter le territoire) sont aussi placés dans cette catégorie.

La voie prioritaire entraîne des conséquences négatives très importantes. Les réfugiés sont simplement tolérés sur le territoire jusqu'à la décision de l'Ofpra, qui doit traiter leur demande en principe en quinze jours. En cas de rejet, le recours devant la juridiction spécialisée de l'asile, la Cour nationale du droit d'asile, ne les protège pas contre un renvoi. Ils peuvent donc être éloignés du territoire français avant même l'examen complet et définitif de leur demande : lorsqu'on sait que la moitié des protections accordées le sont par la Cour, il y a de quoi être inquiet.

Depuis plusieurs années, tous les organes de protection des droits de l'homme, du Conseil de l'Europe aux Nations unies, demandent à la France de réviser sa procédure, qui expose ainsi des candidats à l'asile à des renvois dangereux. Des promesses de réforme ont été faites lors de l'élection présidentielle de 2012 mais tardent à se concrétiser.

La précarité comme horizon

Pour se nourrir, se vêtir, se déplacer, se soigner, les candidats à l'asile en procédure prioritaire se débrouillent comme ils peuvent en recourant à l'aide

humanitaire, aux réseaux de solidarité et aux dispositifs de veille sociale et d'hébergement d'urgence. Ceux
empruntant la voie normale sont mieux lotis mais
l'insuffisance des hébergements qui leur sont dédiés
soumet la grande majorité d'entre eux à des conditions
d'accueil indécentes.

Moins d'un tiers des réfugiés franchissent les
portes d'un centre d'accueil de demandeurs d'asile, où
ils pourront être hébergés et aidés jusqu'à l'issue de
leurs démarches. L'augmentation prévue du nombre
de places dans ces structures (pour atteindre un total
de 25 410 en 2014 au lieu de 21 410 en 2012) laisse
toutefois entrevoir quelques espoirs.

Pour tous les autres candidats à l'asile, ce sont
les hébergements d'urgence – solution inadaptée –
ou le système D. Ils s'installent de façon précaire
chez des compatriotes, obligés de plier bagage régulièrement, ou vivent dans des squats. De guerre
lasse, certains élisent la rue comme domicile dans
l'attente de connaître leur sort administratif. Comme
ils ne sont en principe pas autorisés à travailler, l'aide
financière versée par l'État leur permet à peine de
survivre.

Devoir mener des démarches d'asile en étant à
la rue ou dans un logement précaire met en péril les
chances d'obtenir une protection. L'aide dont les réfugiés peuvent bénéficier auprès des plateformes d'accueil pour expliquer en français les raisons qui les ont
poussés à fuir a également été revue à la baisse par
l'État depuis 2012. Au nom d'une logique de rationali-
sation du dispositif d'accompagnement, l'aide se limite
à « retranscrire en français la réponse du demandeur
d'asile à la question n°15 (les motifs de votre demande : pour quelles raisons sollicitez-vous l'asile ?)

du formulaire de l'Ofpra[17] ». Il ne s'agit pas d'une assistance juridique. Ni la préparation à l'entretien avec l'Ofpra ni l'aide au recours devant les juges de l'asile, en cas de rejet, n'est prévue. Et, pour ceux placés sur la voie prioritaire, l'aide prend fin une fois la décision de rejet de l'Ofpra reçue. L'assistance varie selon les plateformes, et ce sont bien souvent les associations qui tenteront de répondre aux besoins juridiques des réfugiés afin de préserver leur droit d'asile.

Le soupçon

De moins en moins aidés, les candidats à l'asile vont devoir faire face au soupçon qui pèse sur leur histoire lors de l'étape décisive de leur entretien avec l'Ofpra.

L'avenir du réfugié et souvent celui de sa famille se jouent lors d'un face-à-face avec l'officier de protection, avec l'aide éventuelle d'un interprète. Au gré des questions posées, l'entretien peut être expédié en une demi-heure ou durer plusieurs heures. C'est un interrogatoire auquel le candidat est le plus souvent mal préparé. D'un environnement culturel, sociologique, éducatif différent de celui de son interlocuteur, il doit comprendre notre logique cartésienne, répondre précisément, chronologiquement, clairement, aller à l'essentiel, raconter les violences et tortures qu'il a enfouies au plus profond de lui-même pour s'en protéger. Ceux qui n'ont pas été scolarisés ou qui sont dans un état de grande faiblesse sont

---

17. Dans un état des lieux sur les conditions d'accueil en 2012 des candidats à l'asile, la Coordination française pour le droit d'asile (CFDA), regroupant une vingtaine d'associations, décrit un nivellement par le bas des missions des plateformes d'accueil. Voir http://cfda.rezo.net/

perdus dans ce flot de questions. Il faut se souvenir d'événements anciens et traumatiques, les remettre dans leur contexte, répondre aux mots-outils interrogatifs « où », « quand », « comment », « pourquoi », « qui » en restant cohérent.

En outre, le candidat à l'asile peut n'avoir vécu qu'une partie des persécutions qui ont touché sa famille et ne pas disposer de toutes les pièces du puzzle. Il peut n'être qu'une victime par ricochet, ignorant tout ou presque de l'engagement politique de tel ou tel proche. Cependant, des questions lui seront posées à ce sujet et ses réponses imprécises se retourneront contre lui. Le traumatisme des persécutions est par ailleurs susceptible d'altérer la mémoire ou de paralyser la parole, rendant l'histoire et les craintes parfois difficilement audibles.

En face, il y a l'officier de protection, dont le quotidien est fait de ces récits éprouvants, se ressemblant inévitablement lorsque les problématiques dans un pays restent les mêmes. Il doit demeurer attentif, se départir à chaque nouvel entretien de tout a priori et créer un lien de confiance avec une personne qu'il ne voit bien souvent qu'une seule fois. C'est une mission d'autant plus difficile qu'il ne dispose que d'un temps limité, devant examiner quarante dossiers par mois, mener deux entretiens par jour et rendre en moyenne deux décisions quotidiennement.

Or, les déclarations lors de l'entretien sont la clé de tout. Elles ouvriront ou fermeront les portes de la protection juridique en France. Six mois en moyenne après cette entrevue, mais parfois un ou deux ans plus tard, voire davantage, la décision arrive. Le taux d'accord demeure faible. En 2012, il atteignait seulement 9,4 %.

Tout se passe comme s'il existait un « seuil de tolérance » au-delà duquel accorder une protection n'est plus envisageable. Est-ce le volume de demandes à traiter qui conduit à douter de leur crédibilité, leurs similitudes, la crainte de commettre une erreur en accordant une protection indue ? Est-ce le temps qui manque pour instruire en profondeur une demande d'asile ? Est-ce encore le discours ambiant entretenu ces dernières années, présentant les candidats à l'asile comme innombrables et les dépeignant sous les traits de potentiels fraudeurs, qui alimente la peur de devoir tous les accueillir ? Est-ce enfin le manque de moyens de l'Ofpra, même si ceux-ci ont augmenté ? Sans doute tout cela à la fois. Il devient alors plus difficile, dans ce climat de suspicion, d'accorder le bénéfice du doute alors qu'il est pourtant l'une des règles du droit d'asile.

Les motifs des rejets se ressemblent sans que l'on en comprenne toujours les raisons exactes. Il est reproché des « déclarations écrites et orales très imprécises, non convaincantes et non personnalisées », des « propos peu étayés et peu plausibles », des « déclarations orales schématiques et non vraisemblables, étayées par aucun élément crédible et déterminant permettant de tenir pour établis les faits allégués et pour fondées les craintes énoncées » ou des « documents dont l'authenticité n'est pas garantie, dénués de force probante ».

Après le choc de la décision de rejet, c'est l'incompréhension et la colère. Le candidat à l'asile doit malgré tout se ressaisir car il dispose d'une seconde chance en allant devant la Cour nationale du droit d'asile, première juridiction administrative de France par le nombre d'affaires qu'elle traite. Une protection sur deux est accordée par ce juge de l'asile, portant le taux global d'admission à environ 22 % en 2012 au lieu de 9,4 % lors de la première étape du parcours devant l'Ofpra. Le nombre d'annulations des décisions de rejet (5 628 en 2012) est manifestement le signe d'un système d'asile qui dysfonctionne lors de sa première étape administrative.

Ceux qui n'ont pas convaincu de la réalité des risques qu'ils encourent deviennent des déboutés du droit d'asile. Il leur faut vivre avec cet échec. Ils tentent parfois une nouvelle demande lorsqu'ils apprennent que, depuis leur départ, les risques n'ont pas cessé. Les autres sont renvoyés vers leur pays ou viennent grossir le rang des clandestins dans l'attente d'une éventuelle régularisation de leur situation administrative en France.

Juger plus vite, mais à quel prix ?

La procédure d'asile dure en moyenne quatorze mois. Une attente qui est synonyme de vie suspendue, pendant laquelle le réfugié ne travaille pas ou rarement, ne peut guère se loger ni suivre une formation professionnelle ou faire venir sa famille. Les décideurs politiques ont annoncé leur souhait de raccourcir ce délai à neuf mois. Les raisons avancées sont à la fois financières et humaines, afin de ne pas laisser le réfugié potentiel « dans l'incertitude pendant aussi longtemps[18] ». Mais cette accélération ne doit pas signifier des garanties au rabais pour les candidats à l'asile. Un équilibre reste à trouver entre une instruction de qualité et un délai de réponse raisonnable.

---

18. Projet de loi de finances pour 2012 : Immigration, asile et intégration.

Vivre avec les siens

Avec la reconnaissance d'une protection, parfois plusieurs années après la fuite, vient la renaissance. Il est frappant de voir le réfugié désormais sous la protection juridique de la France se transformer physiquement lorsqu'on le côtoie depuis des années déjà. Il y a un avant et un après : il n'est plus dans l'insécurité quotidienne de la survie ni dans l'incertitude administrative de son sort. Son horizon s'éclaircit.

C'est une autre étape qui attend le réfugié lorsqu'il souhaite, comme la loi le prévoit, faire venir en France sa famille, son conjoint ou concubin et ses enfants. La suspicion n'est alors jamais très loin. Le réfugié va se heurter à une autre procédure, celle du rapprochement de famille, largement illisible et parfois interminable. Il doit légitimement justifier de son lien de famille auprès des consulats français, seuls compétents pour délivrer ou refuser un visa. Mais les difficultés deviennent insurmontables lorsque les pays d'origine sont dépourvus d'états civils fiables ou détruits lors de guerres. Ayant fui son pays, le réfugié ne peut évidemment effectuer lui-même les démarches auprès de ses autorités ni y retourner pour démêler les difficultés administratives. Sa famille ou des tiers s'en occupent sans qu'il soit systématiquement tenu informé par les services consulaires de l'avancement de la demande de visa. Les proches du réfugié doivent aussi composer avec la corruption des autorités du pays d'origine pour obtenir, moyennant de l'argent, passeport, actes de naissance ou de mariage, jugements, sans lesquels rien ne peut être entrepris.

Les consulats français n'hésitent pas à refuser un visa, prétextant erreurs ou contradictions dans les actes d'état civil, sans toujours prendre la peine de réclamer d'autres preuves du lien de famille. En cas de doute sur l'âge des enfants, ils recourent quelquefois à un test osseux alors que celui-ci, critiqué par le corps médical, est inadapté et non fiable[19]. D'autres pays européens utilisent les tests ADN. La France y a pour l'instant renoncé. Ce mode de preuve nie la structure familiale, qui ne se résume pas à un lien biologique. Et il peut durablement ébranler la cellule familiale alors que ses membres se sont toujours considérés comme liés.

Tout cela finit bien souvent devant le tribunal administratif de Nantes, qui, dans nombre des situations qu'il traite, ordonne la délivrance du visa. Réunis après des années de séparation, les réfugiés peuvent enfin jouir d'une protection pleine et entière, même si certaines familles explosent, faute d'être parvenues à se reconstruire après des années de séparation.

---

19. En France, l'avis n° 88 du 23 juin 2005 du Comité consultatif national d'éthique (CCNE) pour les sciences de la vie et de la santé, saisi par la défenseure des enfants, précise : « Ainsi, pour répondre aux questions posées, le CCNE confirme l'inadaptation des techniques médicales utilisées actuellement aux fins de fixation d'un âge chronologique. »

LA FORTERESSE PRÉFECTURE

Mariam Coulibaly
Côte d'Ivoire

La préfecture constitue le passage obligé pour tout demandeur d'asile souhaitant déposer en France une demande de protection internationale. Mais la multiplication des contrôles effectués par les préfectures, les documents exigés (souvent à tort) par le service public préfectoral, la restriction de l'accès aux guichets mêmes ont un effet dissuasif. Dans plusieurs régions, ce service public est souvent inaccessible. En mars 2011, le collectif Asile en Île-de-France[20] a mené des observations devant le centre de réception des demandeurs d'asile boulevard Ney, à Paris, et devant celui du Val-de-Marne.

À Paris, le collectif a rencontré Mariam Coulibaly, ressortissante de Côte d'Ivoire, qui tentait depuis plusieurs mois déjà d'entrer à la préfecture pour y déposer sa demande. En vain. Avec une trentaine d'autres candidats à l'asile, elle a saisi la justice, qui a constaté que la préfecture violait le droit d'asile en privant les demandeurs d'accéder au service public de l'État. Malgré ces rappels à la loi, la situation, notamment en Île-de-France, reste préoccupante et le droit d'asile quotidiennement malmené.

---

20. Il regroupe l'ACAT, Amnesty International section française, la Cimade Île-de-France, le Comede, Dom'Asile, le Groupe Accueil Solidarité, le Secours catholique Île-de-France.

Ma condition de femme ici et là-bas, c'est le jour et la nuit. En Côte d'Ivoire, j'étais considérée comme trop indépendante. Mes parents étaient pieux mais ouverts : ce sont surtout mes oncles et tantes qui me mettaient la pression et voulaient que je me marie avec un cousin, certes éduqué comme moi, mais brutal et que je n'aimais pas. J'ai été mariée de force en novembre 2003, à 30 ans. Mon mari avait déjà une épouse, ce qui m'arrangeait et m'évitait d'être tout le temps avec lui. Quand je lui disais non, il me violait et me battait. J'ai porté plainte mais il n'a jamais été inquiété. Moi, j'ai dû faire face aux nombreux reproches de ma famille. Heureusement, mon travail de sage-femme me permettait de ne pas être trop souvent à la maison.

En regardant une émission de télévision sur France 2, début 2010, j'ai découvert qu'il existait une chirurgie réparatrice pour les femmes excisées. J'ai décidé de me rendre en France pour faire réparer ma cicatrice d'excision, en faisant croire à mon époux que je venais pour un traitement contre la stérilité. Au départ, je ne voulais pas rester en France : en Côte d'Ivoire, j'avais mon jeune frère et ma sœur, et aussi mon travail. Quand l'intervention chirurgicale a été programmée, en décembre 2010, j'en ai tout de même informé mon mari. De toutes les façons, il s'en serait rendu compte à mon retour. Il est entré dans une violente colère et m'a menacée de me remettre dans le « même état ».

J'ai d'abord cherché à faire prolonger mon visa d'un mois. Je me suis renseignée : il fallait payer 120 euros. Un ami de mon frère m'a conseillé de me rendre boulevard Ney (à la préfecture). Nous y sommes allés un matin vers 11 heures, il n'y avait presque personne dehors. L'agent de police nous a dit de revenir un autre jour très tôt. Lorsque je lui ai demandé : « Très tôt, c'est quelle heure ? », il m'a répondu que les personnes arrivaient vers 4 heures le matin. Nous avons décidé de revenir vers 2 ou 3 heures le lendemain. Quand nous sommes arrivés, il y avait déjà un monde fou attendant dans le froid. Lors de l'ouverture des portes, ceux qui avaient un rendez-vous entraient les premiers, puis c'était au tour des nouveaux, comme moi, mais je n'ai jamais pu entrer, ni cette fois-là ni les nombreuses autres où j'y suis retournée. Un jour, une personne a été blessée juste devant moi et les pompiers ont dû intervenir. Les gens se bagarraient pour être les premiers. Certains réservaient leur place dans le rang la veille et demeuraient là jour et nuit. Je ne pouvais pas m'y résoudre : c'était trop dur avec le froid. J'étais tellement impatiente que le jour se lève et que le soleil me réchauffe un peu... Il faut dire que je suis très frileuse. Pendant toute cette période, j'étais stressée et j'avais des problèmes de tension.

Heureusement, mon ami m'a encouragée à y retourner. Il a eu raison : un jour, j'ai vu des associations arriver qui proposaient de porter plainte contre la préfecture. J'avoue que j'ai hésité car c'était auprès de la préfecture elle-même que je devais déposer ma demande d'asile. Mais je me suis dit que la France était un pays de droit et non de magouilles, comme chez nous. J'ai accepté et j'ai même encouragé d'autres demandeurs à faire pareil même si, dans le fond, je n'étais pas complètement rassurée. Nous avons fait un premier procès, mais cela n'a pas marché. Selon le juge, nous n'apportions pas la preuve que nous avions déjà essayé plusieurs fois d'entrer dans la préfecture.

Après un nouvel échec pour accéder au guichet, je suis repassée devant le juge et, cette fois, cela a marché. Il a envoyé à chacun de nous une ordonnance qui obligeait la préfecture à nous recevoir. Lorsque je l'ai reçue, j'ai hésité quelques jours puis je me suis décidée à retourner boulevard Ney. J'ai montré la décision au policier, qui m'a laissée entrer. À l'intérieur, on n'a pas voulu me recevoir, mais j'ai expliqué que j'avais une ordonnance du juge et j'ai pu, cinq mois après mon arrivée en France, déposer enfin ma demande d'asile.

Sans mon ami et les associations, j'aurais été découragée. Heureusement, j'ai rencontré des gens bien. Le plus dur a vraiment été d'avoir accès à la préfecture car, une fois que le système est enclenché, ça va. J'ai eu la chance d'être aidée.

À l'Ofpra – je n'en reviens toujours pas –, j'ai été très bien reçue et l'officier de protection m'a même appelée avant mon entretien pour que je pense à apporter tous les documents. J'ai été reconnue réfugiée en avril 2012. Désormais, mon seul regret est de ne pas pouvoir voir ma sœur et mon frère. J'ai passé un concours pour obtenir l'équivalence de mon diplôme de sage-femme. J'aimerais sincèrement continuer ce métier que j'ai exercé pendant plus de dix ans en Côte d'Ivoire. Les conditions de travail n'étaient pas faciles, mais, chaque fois que nous arrivions à faire accoucher une femme, c'était une joie immense. Ce métier est vraiment fait pour moi.

Témoignage recueilli le 5 décembre 2012.

À LA MERCI DE TOUT

Fatouma Fofana
Côte d'Ivoire

Jeune majeure, Fatouma Fofana, de nationalité ivoirienne, a eu une relation amoureuse avec un garçon contre la volonté de sa famille, et une petite fille est née en 2000. Elle a alors subi de multiples brimades et humiliations de ses parents. En 2007, sa famille l'a mariée de force à un homme beaucoup plus âgé qu'elle. Durant deux mois, elle a subi les violences et les viols de son époux. Un soir, grièvement blessée par arme blanche, elle a été conduite à l'hôpital.

Fatouma Fofana a réussi à s'enfuir grâce à la complicité d'une amie, mais elle a dû confier sa fille à des proches, n'ayant pas réussi à obtenir pour elle un passeport d'emprunt. Elle a quitté la Côte d'Ivoire en septembre 2010 pour la France, mais elle n'a sollicité l'asile que huit mois plus tard, ce qui lui a valu d'être placée en « procédure prioritaire », vivant dans la précarité pendant l'examen de sa demande.

J'ai peur tout le temps. Au début, j'avais même peur des agents de la RATP : je pensais que c'étaient des policiers et je craignais qu'ils ne m'arrêtent car je n'ai pas de papiers. Contrairement à d'autres demandeurs d'asile, je n'ai pas de récépissé,

pas d'aide et pas droit à un logement. Je n'ai aucune ressource pour vivre. Tout ça parce que je suis en procédure prioritaire. À la préfecture, le prétexte qu'ils ont trouvé pour me placer dans cette voie est que j'ai mis du temps à demander l'asile. C'est vrai : j'ai déposé ma demande huit mois après mon arrivée en France. Mais, en arrivant, je ne savais pas que l'asile existait. C'est seulement après plusieurs mois, en parlant avec des compatriotes, que j'ai su que je pouvais entreprendre cette démarche. À la préfecture, on ne m'a même pas demandé pourquoi je suis restée là huit mois sans rien faire, sinon je me serais expliquée. Et je n'ai su que bien plus tard – bien trop tard – que j'aurais pu engager un recours contre la procédure prioritaire.

Déjà, à l'association où je m'étais rendue pour qu'on m'aide à remplir le dossier, on m'avait dit que ce n'était pas bon, la procédure prioritaire. À la préfecture, une femme au guichet m'avait signalé discrètement, à l'abri du regard de ses collègues, que je ne devais pas me promener avec le refus de séjour sur moi, car il est écrit dessus que ma demande d'asile est abusive. Elle m'a conseillé de laisser ce papier-là chez moi pour éviter que les policiers ne tombent dessus en cas de contrôle d'identité.

Du fait de la procédure prioritaire, je n'ai eu que quelques jours pour remplir le dossier pour l'Ofpra et le déposer à la préfecture. Ensuite, j'ai très vite été convoquée pour un entretien. Là-bas, j'ai eu l'impression que l'officier de protection ne m'écoutait pas : mon entretien a duré moins de trente-cinq minutes. Ensuite, en moins de quinze jours, j'ai reçu un refus.

Comme je ne perçois pas d'aide, je me loge comme je peux. À mon arrivée en France, je vivais d'abord chez une cousine, mais je n'y suis restée que trois mois car elle prenait le parti de mon mari : elle ne comprenait pas pourquoi j'avais fui cet homme avec qui j'avais été mariée de force. J'avais peur qu'elle ne lui dise où je me trouvais, j'ai donc dû chercher un autre logement. Par des connaissances, j'ai eu le contact d'une dame, chez qui je vis depuis bientôt un an : elle me loge et me nourrit ; en échange, je garde sa fille. Je ne dépense rien, je n'ai pas du tout d'argent à moi. Elle me donne parfois des vêtements et elle recharge ma carte de transport. Mais, pour ça, je fais la cuisine, le ménage, je m'occupe de l'enfant. Je fais tout à la maison.

C'est très difficile car cette dame me traite mal. Elle n'a aucune considération pour moi et me parle comme à une moins que rien. Je me sens rabaissée. Une chose en particulier me blesse profondément : quand j'ai mes règles, je suis obligée de prendre du papier toilette toutes les cinq minutes ; la dame ne me donne pas de serviettes hygiéniques et je ne peux pas aller en acheter car je n'ai pas du tout d'argent. C'est très humiliant.

Mais le plus gênant est que je ne peux pas sortir car je dois toujours être avec la petite. Je ne peux entreprendre aucune démarche. Je n'ai pas pu faire ma fiche d'imposition, par exemple, car la dame ne veut pas que j'indique son adresse. Elle ne veut pas non plus que je reçoive mon courrier chez elle, donc je suis domiciliée dans une association où je dois aller retirer mon courrier. J'arrive parfois à me libérer pour aller voir si j'en ai, mais, avant, je dois m'assurer que la dame pourra être là pour garder sa fille. Dans ces cas-là, je lui dis que j'ai rendez-vous à l'hôpital et je me lève tôt pour terminer tout ce que j'ai à faire avant de partir. Je reste parfois deux ou trois semaines, voire plus, sans retirer mon courrier. Du coup, j'ai reçu des lettres recommandées que je n'ai pas pu récupérer car je suis allée à la Poste trop tard, par exemple un courrier qui est arrivé après le rejet de l'Ofpra. C'était peut-être une obligation de quitter le territoire, mais je n'en sais rien.

J'ai également des problèmes pour effectuer mes démarches de recours à la CNDA. Je n'arrive pas à me libérer pour tous mes rendez-vous, alors que ce sont des entretiens importants. La dernière fois, je suis arrivée avec quatre heures de retard chez mon avocate.

À un moment, j'ai même voulu me désister de mon recours car je n'ai rien obtenu de satisfaisant depuis que j'ai commencé, et surtout c'est vraiment difficile de sortir de la maison. La dame m'en empêche : elle ne veut pas que je parte avec sa fille aux rendez-vous. Je ne suis même pas sûre de pouvoir me libérer le jour où je serai convoquée à l'audience à la CNDA...

Heureusement, au parc où j'emmène la petite, j'ai rencontré une jeune femme qui est devenue une amie. J'arrive parfois à lui faire garder l'enfant quand j'ai des rendez-vous. Un jour, j'ai avoué à la dame que j'avais confié sa fille à une amie le temps de faire une démarche. Elle a été fâchée pendant une semaine et m'a menacée de me remplacer par quelqu'un d'autre.

Je suis obligée de continuer, je n'ai pas d'autre solution. Au moins, j'ai un toit pour dormir et de quoi manger... La dame me dit souvent que j'ai de la chance, qu'elle aussi a souffert quand elle est arrivée en France et qu'elle n'avait pas de papiers. De toute façon, je n'ai même pas le temps d'entreprendre des démarches pour trouver un logement. C'est un cercle vicieux.

J'ai quitté la Côte d'Ivoire pour fuir tout ce que j'avais vécu, j'ai cru que je pourrais repartir de zéro et surtout que je pourrais faire venir ma fille. Mais j'ai l'impression que j'ai quitté une prison pour une autre prison. Je pensais que je pourrais être libre, protégée, avec un chez-moi. Je crois que c'est moi qui suis malchanceuse car d'autres s'en sortent mieux.

Si ça marche à la CNDA, la première chose que je ferai sera de chercher un boulot, puis je prendrai un logement et ma fille pourra me rejoindre. Je recommencerai ma vie : ce sera pour moi une reconnaissance. Si au contraire ça ne marche pas... Je ne sais pas... Je n'ai aucune solution. Je n'envisage pas de retourner au pays, je ne le peux pas. Ici, c'est dur, mais au moins je peux marcher sans regarder sans cesse derrière moi. C'est vrai que j'ai peur des policiers, mais ce ne sont que des policiers. Chez moi, c'est autre chose.

Depuis ce témoignage, recueilli le 14 juin 2012, Fatouma Fofana a été déboutée du droit d'asile par la CNDA en juillet 2012.

FAIRE FACE AU SOUPÇON

Mariam Barry
Guinée

Mariam Barry est l'une des victimes de la répression sanglante du 28 septembre 2009 au Stade national de Conakry, en Guinée, où l'opposition s'était réunie contre la candidature du chef de la junte, Moussa Dadis Camara, à l'élection présidentielle. En moins de deux heures, les militaires ont réprimé dans le sang ce rassemblement pacifique. Plus de cent cinquante personnes ont été massacrées dans le stade et ses environs, plus de cent femmes violées en public, et une centaine de personnes ont disparu.

Devant l'ampleur des crimes, les Nations unies ont lancé une commission d'enquête internationale, qui s'est rendue sur place pour recueillir les témoignages de 687 personnes. Dans ses conclusions, elle qualifie les actes commis de crimes contre l'humanité et met nommément en cause le président guinéen de l'époque, les responsables des forces de sécurité et le ministre de la Santé pour dissimulation de preuves et entraves ou refus de soins.

Mariam Barry fait partie des personnes entendues par la commission. L'ACAT, qui a publié en novembre 2011 un rapport sur l'usage de la torture en Guinée et l'impunité qui y règne[21], a pu témoigner

---

21. *Torture : la force fait loi. Étude du phénomène tortionnaire en Guinée, novembre 2011.* Rapport des organisations ACAT-France, Avipa, MDT et OGDH.

devant la Cour nationale du droit d'asile des graves défaillances de la justice guinéenne, gangrenée par la corruption et peu crédible.

Depuis ce drame du 28 septembre 2009, une instruction judiciaire a été ouverte en Guinée avec l'inculpation de six personnes, dont l'aide de camp du chef de la junte, actuellement en fuite. Mais le besoin de justice demeure immense. La Cour pénale internationale, qui s'est saisie de ce dossier, laisse quelques mois à la justice guinéenne pour faire ses preuves, sans quoi elle reprendra l'affaire.

Je suis née en Guinée. Je vivais là et je voyais les dirigeants profiter. Pas de justice, pas de sécurité : il fallait s'élever contre cette mauvaise gouvernance. Notre pays est riche, avec beaucoup de potentialités, je voulais qu'il y ait un changement. J'ai rejoint le Front uni pour la démocratie et le changement (Fudec) de François Lonsény Fall quand il a créé son parti après la mort de Lansana Conté en décembre 2008. C'est le seul qui ait démissionné, alors qu'il était Premier ministre, lorsque le président Conté l'a empêché de faire ses réformes. Pour moi, c'est un bon patriote, un bon Guinéen.

Mon mari, qui était fonctionnaire, ne me soutenait pas car il avait peur de perdre son travail. Chaque fois que je participais à des réunions politiques, il me disait : « Toi, tu veux me créer des problèmes. » Je lui répondais que je n'agissais pas pour moi mais pour tout le monde, pour nos enfants. Pour qu'il y ait un changement, il faut qu'il y ait un combat. J'étais prête à aller jusqu'au bout.

Ce que j'ai vu là-bas comme horreurs, le 28 septembre 2009, ne me quitte jamais. Je n'arrive pas à oublier les séquences, la manière dont les militaires sont entrés dans le stade, les viols. Je ne sais pas comment je suis sortie de là. Je me suis réveillée chez des gens près du stade. Je n'avais pas le choix, il fallait vivre... Quand je suis rentrée chez moi, mon mari a tout de suite compris ce qui m'était arrivé. Il m'a insultée et a jeté mes affaires en m'interdisant de revenir.

Des appels à témoins ont été lancés un peu partout. Contactée par l'Association des victimes, parents et amis du 28 septembre 2009 (Avipa), j'ai été entendue fin novembre 2009 par la commission d'enquête internationale des Nations unies.

Le 3 décembre 2009, l'aide de camp « Toumba » a tiré sur le chef de la junte, Dadis Camara, alors qu'il venait d'être accusé des massacres du 28 septembre. Les militaires faisaient des descentes dans les quartiers. J'ai pris peur et je me suis enfuie en taxi jusqu'à Bamako, au Mali. C'est ma sœur qui a organisé ma fuite en France par avion, avec un passeport d'emprunt.

Quand je suis arrivée à Paris, j'étais angoissée car j'avais tout laissé derrière moi. Je me sentais comme dans un trou, je ne connaissais personne et les lieux m'étaient étrangers. La première nuit, je l'ai passée dans le métro. Le lendemain, j'ai rencontré une compatriote qui m'a parlé du Cedre (Centre d'entraide pour les demandeurs d'asile et les réfugiés), une association qui m'a tout de suite aidée à trouver où dormir. J'ai passé deux mois dans un hôtel. C'était très petit et nous étions deux dans la chambre. La cohabitation avec l'autre personne était difficile mais je n'avais aucun autre endroit où aller.

Le premier jour où je suis allée à la préfecture, les employés m'ont dit qu'ils ne prenaient pas tout le monde. J'y suis retournée un soir vers 22 heures et j'ai passé la nuit dehors. J'avais les pieds gonflés. C'était l'hiver 2009, je n'oublierai jamais. Au guichet, j'ai expliqué que j'avais des problèmes avec mon mari, qu'il m'avait répudiée et que je voulais inscrire « divorcée » sur le formulaire. Mais on me demandait un acte de divorce. Comment avoir ce document alors que j'avais fui mon pays sans rien ?

Lorsque j'ai reçu le rejet de l'Ofpra en juillet 2011, je me suis demandé pourquoi on ne m'avait pas crue. L'Ofpra n'avait même pas contacté les personnes que l'ACAT lui avait indiquées pour confirmer que j'avais bien été entendue par la commission des Nations unies. Et je n'ai pas compris pourquoi on avait mis un an à me donner une réponse. Pendant tout ce temps, j'étais en dépression. Je faisais des cauchemars.

Je crois que la personne qui m'a entendue n'a pas pris le temps de bien regarder mon dossier ni de contacter l'ONU, devant qui j'avais fait ma déposition. Pendant l'entretien, elle n'était pas attentive. Je lui ai montré les médicaments que j'avais pris et mon collant déchiqueté par les militaires le 28 septembre. Sur le rapport d'entretien, elle a simplement noté que j'avais sorti un habit. Il faut faire attention tout de même !

Ce rejet a achevé de me déprimer. J'étais désespérée. Je me suis dit que j'allais devenir clocharde à Paris. J'ai failli me suicider tellement j'en avais ras le bol. Vous m'avez vraiment encouragée. Notre recours m'a redonné de l'énergie.

Quand je me suis présentée devant la Cour nationale du droit d'asile, en janvier 2012, j'étais très tendue. Mais, quand le rapporteur a demandé l'annulation de la décision de l'Ofpra, cela m'a redonné du souffle. C'était si stressant de retracer mon histoire... À un moment, même, je ne pouvais plus parler. Quand j'ai reçu la décision me reconnaissant la qualité de réfugiée, j'ai prié. Si l'on n'avait pas contacté l'ONU, qui a confirmé que j'avais bien été entendue devant la commission d'enquête, cela aurait encore été un échec. L'Ofpra avait nié mon histoire.

Aujourd'hui, je voudrais tant que mes enfants soient à mes côtés. Avec eux, la vie sera meilleure.

Depuis ce témoignage, recueilli le 13 juillet 2012, Mariam Barry a pu faire venir trois de ses quatre enfants. Elle a saisi la justice pour obtenir un visa pour l'aînée, restée malgré elle en Guinée après un refus de visa des autorités consulaires françaises.

LES MOTS ET LES PREUVES

Samia Selmi
Algérie

Les réfugiés ont souvent le sentiment que l'étape de l'entretien avec l'officier de protection est la plus difficile de leur parcours d'asile. C'est un moment à la fois décisif et éprouvant où le candidat à l'asile doit mettre des mots sur ce qu'il a vécu et sur ses craintes en cas de retour dans son pays. Si, la plupart du temps, les réfugiés acceptent de livrer à un inconnu le récit détaillé de leur vie et de leurs souffrances, parfois les mots ne sortent pas. C'est d'autant plus difficile lorsqu'ils doivent faire face au soupçon et à la défiance.

Lorsque l'origine des persécutions repose sur les croyances religieuses, les questions sondant la foi des réfugiés sont vécues par ceux-ci comme un véritable interrogatoire de personnalité. Certains ressentent les échanges avec l'officier de protection, puis les termes de la décision de rejet de l'Ofpra, comme une négation de leur histoire. Ils éprouvent cette étrange sensation que la décision rendue ne les concerne pas, qu'il doit y avoir une erreur de destinataire.

Ressortissante algérienne, Samia Selmi a subi brimades et violences en raison de sa foi chrétienne. Face à ce climat de répression l'empêchant de pratiquer sa religion, elle a fui l'Algérie en décembre 2009, laissant derrière elle ses six enfants majeurs.

J'ai quitté l'Algérie car je ne pouvais pas aller à l'église comme je le voulais. Ma famille s'y opposait, mon mari surtout. Il m'empêchait par la force de vivre ma foi. Malgré les menaces, j'ai longtemps pratiqué ma religion en cachette. Je n'avais pas honte de moi, mais je sais que c'était mal vu par les gens.

Mes ennuis ont réellement commencé en 2004, quand mon mari a découvert que je fréquentais l'église : cela faisait déjà six ans que je m'étais convertie. Il m'a interdit d'y retourner, affirmant que je ne devais pas me détourner de la religion de nos ancêtres. Comme je continuais, il a commencé à se montrer violent. Il me disait que je lui faisais honte, que je devais absolument renoncer à la religion chrétienne. Il est allé voir un imam, qui lui a dit que j'étais impure et qu'il devait me rejeter. Lorsqu'il était violent, je ne pouvais pas aller voir les policiers : ils lui auraient donné raison et il se serait encore plus emporté contre moi.

J'ai vécu plusieurs années ainsi, dans une clandestinité religieuse. Au fil du temps, les violences se sont accrues. J'endurais des coups, des menaces, des insultes. En 2009, il m'a menacée à deux reprises de me brûler le visage avec de l'eau bouillante. Des menaces, il y en avait eu d'autres avant, des coups aussi, mais il y allait de plus en plus fort, et cette fois j'ai eu vraiment très peur. La troisième fois qu'il a menacé de me brûler le visage, c'en était trop, j'ai décidé de fuir.

Comme j'ai une sœur en France, j'ai prétexté un court séjour de vacances chez elle pour m'éloigner de mon mari et me réfugier ici. J'ai obtenu un visa et je suis arrivée en avion. Je ne savais pas ce qu'était le droit d'asile, j'ignorais que je pouvais demander la protection d'un autre pays. C'est lorsque j'ai commencé à parler un peu de mon histoire autour de moi que l'on m'a dit que je pouvais faire cette démarche.

Pendant toute la procédure, je suis allée de découverte en découverte. Au début, je n'ai pas trouvé que c'était difficile. Raconter mon histoire était simple. Mais les complications ont commencé à l'Ofpra. Peut-être que je me suis mal exprimée, mais l'officier de protection ne voulait pas reconnaître que j'étais chrétienne. Elle ne m'a pas crue et elle a rejeté mon dossier. L'entretien avait pourtant duré longtemps. Elle me parlait des catholiques, mais je ne suis pas catholique : j'appartiens à l'Église évangélique. Elle me posait des questions sur des pratiques catholiques que je ne connaissais pas. Comme je ne savais pas répondre, elle a considéré que j'avais inventé tout ça.

Quand j'ai reçu la décision, ça m'a fait mal. Au fond de moi, je sais ce que je suis, ce que j'ai vécu. Je sais tout ce que j'ai enduré pour ma foi. Je sais que je dis la vérité. Je me suis dit que l'officier de protection ne connaissait peut-être pas bien le système évangélique, je ne sais pas... Si je m'étais mal exprimée, elle aurait pu essayer de se mettre à ma place et m'aider à parler, au lieu de me montrer qu'elle ne me croyait pas. Parfois, quand je répondais à ses questions, elle levait les yeux au ciel, comme si j'avais dit une énormité. Elle était surprise, par exemple, que je ne connaisse pas les fêtes juives, ou d'autres fêtes que je ne pouvais pas célébrer en Algérie.

Je pouvais très bien lui expliquer pourquoi je ne connaissais pas ces pratiques, je pouvais lui raconter pourquoi et comment je me suis mise à croire en Dieu, comment je pratiquais la religion de manière clandestine, mais je ne pouvais pas lui dire ce que je ne savais pas ! J'étais devant elle et elle a considéré que je ne lui avais pas fourni d'arguments convaincants.

Ils devraient quand même essayer de comprendre le mal de l'autre : on ne laisse pas tout derrière soi comme ça pour des raisons non valables ! J'ai été très déçue, vraiment. Heureusement, d'autres personnes m'ont dit qu'elles étaient tombées sur des officiers de protection à l'écoute, cela me rassure.

Je sais que si l'officier de protection lit ce témoignage, elle se reconnaîtra. J'aimerais lui dire qu'il est important d'être davantage à l'écoute des gens. Ils ont leur vécu, ils ont enduré des choses difficiles pendant leur parcours. On ne les laisse pas s'exprimer correctement, et après on ne les croit pas. J'aimerais vraiment qu'elle se reconnaisse et qu'elle change sa façon de mener ses interrogatoires. C'est ça : un interrogatoire, je l'ai vécu ainsi.

On m'a dit que je pouvais déposer un recours, alors je suis allée voir une association à qui j'ai expliqué toute mon histoire et qui m'a aidée. À la CNDA, cela s'est mieux passé : on m'a posé des questions directes et simples, et j'ai été reconnue réfugiée en octobre 2011. Depuis que je suis réfugiée, intérieurement je suis bien. Je suis soulagée, cela me retire un poids. Je n'ai pas peur d'être reconduite à la frontière, je sais que je suis protégée. J'ai quand même la nostalgie de mon pays. Je pense à mon passé, à mes enfants. Ils sont grands maintenant, mais ils sont loin.

Témoignage recueilli le 9 mai 2012.

SAUVÉ DE JUSTESSE

Guy Samba
République du Congo (Congo-Brazzaville)

En 1997, une guerre civile en République du Congo a opposé les partisans de Denis Sassou Nguesso, l'actuel président, ceux de Pascal Lissouba, alors au pouvoir, et les soutiens de Bernard Kolelas, ancien maire de Brazzaville. Chacun disposait de sa milice, « les cobras » pour le premier, les « cocoyes » pour Lissouba et les « ninjas » pour Kolelas, ces derniers étant issus de l'ethnie lari. La guerre civile a entraîné de multiples déplacements de populations, notamment dans la toute proche République démocratique du Congo (RDC). À partir de 1999, Sassou Nguesso, désormais au pouvoir, lance au nom de la réconciliation nationale des appels pour le retour des populations au Congo-Brazzaville.

C'est lors de l'un de ces rapatriements, en mai 1999, que plus de trois cent cinquante Congolais en provenance notamment de RDC « disparaîtront » au port fluvial de Brazzaville, le Beach. Cette affaire politiquement sensible met en cause le président Denis Sassou Nguesso lui-même, les généraux Dabira et Adoua et le chef de la police Jean-François N'Dengue. Elle est instruite en France depuis plus de dix ans pour crimes de torture, disparitions forcées et crimes contre l'humanité, et a connu de multiples rebondissements judiciaires.

Guy Samba faisait partie de l'un de ces convois de rapatriement.

Je suis congolais, de la République du Congo, issu de l'ethnie lari vivant au sud de Brazzaville, dans la région du Pool. Mon appartenance à cette ethnie a été à l'origine de beaucoup de mes malheurs. Alors que j'étais artisan soudeur à mon compte, j'ai été, comme beaucoup de mes concitoyens, victime de la guerre que nos dirigeants se sont livrée sans merci à partir de 1997. Je me suis d'abord réfugié dans mon village, puis vers l'autre rive du Congo, à Kinshasa, en République démocratique du Congo.

En 1999, le président Sassou, qui avait gagné la guerre contre Lissouba, a lancé un appel à tous ceux qui avaient fui les violences. Le Haut-Commissariat des Nations unies pour les réfugiés (HCR) était chargé d'établir des itinéraires de retour sécurisés mais qui s'arrêtaient au Beach, côté Kinshasa. J'étais dans l'un des convois, mon frère dans un autre. À notre arrivée à Brazzaville, après un discours de « bienvenue » d'un ministre, les forces de l'ordre ont commencé à trier les femmes, les enfants et les vieillards d'un côté, les hommes d'un autre. Les premiers ont été libérés ; nous, nous sommes restés. Ils voulaient identifier les anciens « ninjas » de Kolelas. J'ai su plus tard que mon frère avait été exécuté comme prétendu ninja. Ninja ? Peut-être parce qu'il était bien bâti, je ne sais pas comment ils faisaient pour dire qui était quoi. Moi, d'une certaine façon, j'ai eu plus de chance... On nous a déshabillés puis conduits tête baissée dans un camion. J'ai été torturé dans ma chair, atteint dans ma virilité. Après, on m'a emmené près du fleuve pour y être exécuté, mais j'ai pu parler en téké à un soldat d'un village voisin du mien et lui dire que j'avais un beau-frère téké. Cela crée des liens. Il m'a alors dit de faire le mort lorsque le peloton d'exécution tirerait. Après les tirs, je suis resté immobile toute la nuit, couché sur des corps, avant de décider de m'enfuir.

Je me suis réfugié à Pointe-Noire et, en 2000, j'ai pu revenir à Brazzaville pour reprendre malgré tout le cours de la vie avec mon épouse. Entre juillet et août 2005 s'est tenu devant la cour criminelle de Brazzaville le procès du Beach, mettant en cause de hautes personnalités. J'avais trop peur de représailles pour porter plainte ou témoigner à l'audience mais, à la demande de l'un des avocats des parties civiles, j'ai rédigé un témoignage sur ce que j'avais vu au Beach qui mettait en cause les autorités. Mon témoignage a été lu à l'audience et le président de la cour m'a demandé de me lever, faisant de moi une cible aux yeux de tous. Malgré les trois cent cinquante « disparus », ce procès s'est terminé par un acquittement général.

Les représailles n'ont pas tardé. Des hommes en armes ont assiégé notre maison. Si j'ai pu me sauver en sautant par une fenêtre à l'arrière, ma femme, elle, est restée. J'ai compris qu'il fallait m'exiler. Je me suis caché et, grâce à un faux passeport, j'ai pu partir pour Bruxelles puis la France, où j'ai demandé l'asile.

Cela n'a pas été une affaire facile et mon exil n'a pas été un séjour tranquille. Il était sans doute difficile de croire à mon histoire. J'ai fait deux demandes d'asile et j'ai dû subir une épreuve angoissante, celle de la menace de la reconduite à la frontière. En effet, à la suite d'un contrôle de police en avril 2008, j'ai été arrêté et mis en rétention pour être renvoyé dans mon pays. Ma demande d'asile était en cours mais j'étais en procédure prioritaire et je pouvais être renvoyé à tout moment au Congo. Là-bas, je risquais d'être incarcéré car le tribunal correctionnel de Brazzaville m'avait condamné en juin 2007 à un an d'emprisonnement, suite à une plainte déposée par les autorités pour dénonciation abusive lors du procès du Beach.

Malgré ces risques, le tribunal administratif de Versailles a rejeté le 5 mai 2009 mon recours contre le renvoi. Le danger que je courais était immense. Heureusement, j'ai été sauvé par la Cour européenne des droits de l'homme, saisie en extrême urgence par l'ACAT. La cour a demandé le 15 mai 2009 au gouvernement français de ne pas me renvoyer en République du Congo. J'étais sauvé. Quelques mois plus tard, en octobre 2009, la Cour nationale du droit d'asile m'a reconnu réfugié. Il aura fallu trois demandes pour que la CNDA m'admette au statut de réfugié.

Mon épouse aussi a subi des représailles. Après ma fuite, elle a été tabassée et violée. En août 2007, les militaires sont revenus : ils me recherchaient après ma condamnation par le tribunal. Elle a de nouveau subi des violences sexuelles en présence de nos enfants et elle s'est réfugiée chez son père, un journaliste connu, pensant que sa notoriété la protégerait. Cela a été tout le contraire : des hommes en uniforme et encagoulés ont enfoncé la porte puis, après une discussion avec son père, l'ont abattu. Comme elle n'était en sécurité nulle part, elle a fui en laissant nos enfants. En octobre 2010, l'Ofpra l'a reconnue réfugiée.

Depuis, nous essayons de faire venir nos enfants, et ce n'est pas une mince affaire.

Témoignage recueilli en février 2013.

LE COMBAT D'UNE MÈRE

Awa Kamara
Sierra Leone

La Sierra Leone a connu un conflit meurtrier de 1991 à 2002, faisant 100 000 à 200 000 victimes et entraînant le déplacement forcé de plus de 2 millions de personnes. Cette guerre a notamment opposé les forces du président Ahmad Tejan Kabbah au Revolutionary United Front (RUF), proche du mouvement de rébellion de Charles Taylor au Liberia voisin, et connu pour le recrutement d'enfants soldats.

Awa Kamara vivait avec un militaire soupçonné d'avoir contribué au renversement d'Ahmad Tejan Kabbah. Il a été arrêté en mars 1998, elle ne l'a jamais revu. Victime elle-même de graves représailles des militaires, Awa a fui précipitamment son pays en avril 1998 avec leur fils, Salim, alors âgé de 3 ans. Sa route de l'exil l'a d'abord conduite en Guinée puis en Côte d'Ivoire, où un enfant, Amadou, issu d'une seconde union, est né en 2001. Malade, elle a dû se résoudre à confier ses enfants à une amie en partance pour la Gambie puis le Mali.

J'étais gravement malade et je pensais que je ne guérirais pas. J'ai donc confié mes enfants à une amie, madame Bah, qui avait fui avec moi. Son époux était le chauffeur de mon compagnon. Elle est

partie avec mes enfants, Salim et Amadou, en Gambie, puis s'est installée avec eux au Mali, où elle s'est mariée et a fondé une famille. Ma santé s'est finalement améliorée et j'ai organisé ma fuite pour la France, où je suis arrivée en octobre 2004. J'espérais qu'une fois en France je pourrais faire venir mes fils au plus vite.

L'Ofpra m'a reconnue réfugiée en mars 2005. Cela a été plutôt rapide. Pour mes enfants, par contre, j'ai beaucoup souffert. J'ai souffert parce que j'étais seule et parce que j'imaginais leurs conditions de vie. Je pensais tout le temps à eux. J'avais besoin dans mon cœur de leur amour. Je voulais qu'ils soient avec moi. Quand je voyais des familles dans la rue avec des enfants, je me sentais abandonnée.

Je ne voulais ni sortir ni faire quoi que ce soit qui me distraie. Sans mes enfants, j'étais sans force. Quand je mangeais de la bonne nourriture, je culpabilisais. Je ne pouvais pas profiter de la vie. Je ne pouvais même pas envisager de refaire ma vie, j'avais peur que l'homme que je rencontrerais me persuade de ne pas vivre avec mes enfants : il y a tellement de femmes à qui c'est arrivé. Je me disais que j'avais commis une erreur en fuyant sans mes enfants, en les laissant si jeunes.

Pour faire venir Salim et Amadou en France, il fallait des papiers d'état civil. C'est madame Bah qui s'en est chargée en demandant à quelqu'un qui allait en Sierra Leone de faire le nécessaire : comme je suis réfugiée en France, je ne pouvais pas retourner moi-même dans mon pays pour obtenir ces documents. Mais les actes de naissance n'étaient pas bons car ils disaient qu'Amadou était né en Sierra Leone, alors qu'il est né d'un père guinéen dans un camp de fortune ivoirien ; pour Salim, il y avait aussi des erreurs matérielles.

Un an et demi après le dépôt de ma demande de rapprochement de famille, le consulat français au Mali a fini par convoquer mes enfants, en juin 2008, pour vérifier leur état civil. Ils ont été interrogés séparément pour savoir qui était leur mère. Mon plus jeune fils, Amadou, que je n'avais pas revu depuis ses 3 ans, aurait dit qu'il n'avait pas de parents en France ni de frère. Pour le consulat, ce n'étaient pas mes enfants : ils ont refusé de leur délivrer des visas pour qu'ils me rejoignent. Cela a été d'une grande violence que d'apprendre que mes enfants ne connaissaient pas de mère en France.

En décembre 2008, j'avais mis suffisamment d'argent de côté pour leur rendre visite au Mali, où je suis restée un mois. Amadou, qui avait désormais 7 ans, ne me connaissait qu'en photo. Salim, l'aîné, avait 13 ans et quelques souvenirs de moi. Au début, c'était difficile. Amadou ne voulait pas s'approcher de moi, il refusait de m'appeler « mama » comme quand il était petit. J'ai essayé de lui donner ce qu'il aimait, de lui faire plaisir. Puis, peu à peu, il a pu prononcer « maman » et nous sommes devenus très proches.

J'étais jour et nuit avec mes enfants. Je ne les quittais plus, j'allais partout avec eux. La séparation a été une déchirure. Amadou n'a pas pu me dire au revoir : il s'est caché dans la maison et seul Salim m'a accompagnée à l'aéroport.

Une fois revenue en France, j'ai réuni de nombreux témoignages, des photos de famille pour prouver que j'étais bien leur maman, que je leur envoyais des vêtements, des jouets, de l'argent, que je prenais de leurs nouvelles. Pendant trois ans, j'ai bataillé pour que l'on reconnaisse qu'il s'agissait bien de mes fils. Finalement le Conseil d'État m'a donné raison en

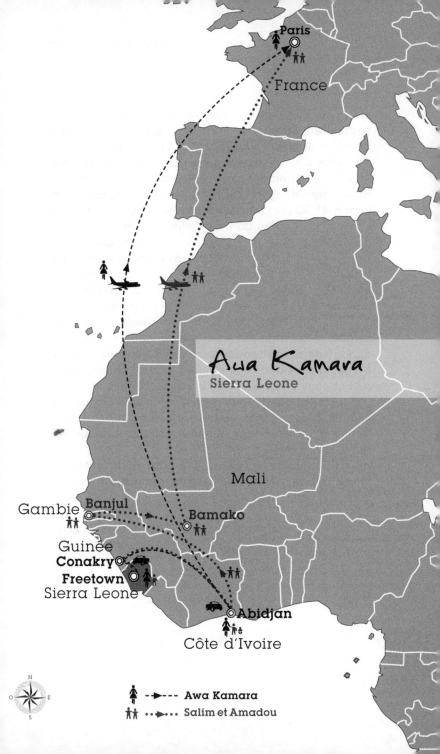

Paris

France

Awa Kamara
Sierra Leone

Mali

Gambie   Banjul
            Bamako

Guinée
Conakry
Freetown
Sierra Leone

                    Abidjan
Côte d'Ivoire

N
O   E
S

🚶 ▸--- Awa Kamara
🚶🚶 •••▸ Salim et Amadou

juillet 2011, et mes enfants sont arrivés en France en septembre, après sept années de séparation. Comme on dit en anglais : « *Never try, never know.* »

Mes fils sont venus sans rien. Alors il a fallu tout acheter, notamment des vêtements chauds. Je suis femme de ménage et j'ai travaillé sans compter, me levant à 4 h 30 du matin pour rentrer le soir à 18 h 30 en prenant les heures de mes collègues. Je n'ai pas pris de vacances pour pouvoir payer l'étude, la cantine, les transports, etc. J'étais à découvert mais, au fil des mois, les choses se sont améliorées. Amadou a été scolarisé en CM2 et Salim a cherché une formation professionnelle car il était trop âgé pour intégrer l'école.

Il a fallu aussi que nous apprenions à vivre ensemble. Mon aîné est très indépendant, il avait tendance à garder ses soucis pour lui : il a tellement appris à s'occuper seul de ses affaires. Mais il change peu à peu et commence à partager ses problèmes avec moi. J'ai reçu l'amour de mes parents et je sais ce que cela signifie. Mes enfants, eux, n'ont pas eu cette chance. Pourtant, je veux leur bonheur. Quand Amadou m'a remis son cadeau de fête des mères, il était très heureux. Pour la fête des pères, il l'a posé sur la table sans même l'ouvrir... Je me suis sentie très mal. Désormais, je ferai de mon mieux pour eux.

Témoignage recueilli le 11 septembre 2012.

ÊTRE PRIVÉ DE SON ENFANT

Djenabou Balde
Guinée

Une fois obtenue la protection de la France, le réfugié peut enfin commencer la procédure de rapprochement de famille pour faire venir en France son conjoint ou concubin et ses enfants. Tenant compte de la situation particulière des réfugiés, la loi n'impose ni conditions minimales de revenu ni surface minimale de logement, mais d'autres obstacles se dressent entre le réfugié et sa famille. La procédure de rapprochement familial est à la fois opaque, largement illisible et interminable.

Djenabou Balde a quitté la Guinée en 2006 pour échapper aux persécutions qu'elle subissait en raison de ses activités politiques. Son mari, lui aussi militant politique, est décédé des suites de tortures infligées en prison. En fuyant son pays, elle a laissé derrière elle son fils, Aly, alors âgé de 7 ans. Arrivée en France, elle a été reconnue réfugiée fin 2007. Depuis lors, elle tente de faire venir Aly auprès d'elle et doit démontrer qu'il est bien son enfant.

Je n'ai pas vu mon fils depuis plus de six ans. Il avait 7 ans quand j'ai quitté le pays, il en a aujourd'hui 13. J'ai eu des ennuis au pays à cause de mes activités politiques, et Aly est né alors que nous étions régulièrement menacés, son père et moi. Mon mari est mort en sortant de prison, en 2002. J'ai moi-même été arrêtée à deux reprises. La dernière fois que j'ai vu Aly, c'était avant ma seconde arrestation, en novembre 2005. Je me suis évadée de prison après quelques semaines de détention durant lesquelles j'ai été maltraitée, et j'ai quitté le pays très vite. Je n'ai pas pu revoir mon fils avant de partir. Là-bas, c'est ma tante qui s'occupe de lui. Depuis que j'ai été reconnue réfugiée en France en 2007, je fais tout pour qu'il vienne me rejoindre. J'ai demandé un visa au consulat de France à Conakry, mais ils ont refusé en décembre 2010 de le lui donner. Ils ne croient pas que c'est mon fils ; pourtant, j'ai fourni tout ce qu'on m'a demandé. Toutes les preuves exigées, mon fils les a apportées au consulat. Ils disent qu'il y a un problème avec l'acte de naissance, que c'est un faux. Ils n'ont qu'à faire des tests ADN, ils verront bien que c'est mon fils !

Quand ton enfant est loin, tu ne sais pas s'il a mangé, comment il a dormi, s'il va bien, comment il vit... C'est seulement par téléphone que je prends des nouvelles. Je l'appelle chaque week-end, mais ce n'est pas une vie. Je suis fatiguée de supporter ça. Comme je travaille, je partage mon revenu pour lui envoyer de quoi vivre, se nourrir, aller à l'école. J'envoie aussi des médicaments, car il est souvent malade. Mais ce n'est pas assez : je veux le voir, vivre avec lui.

Je ne sais plus quoi faire. Mon fils me supplie, il est fatigué lui aussi. J'essaie de lui expliquer ce qui se passe. À chaque période de vacances nous espérons qu'il pourra enfin venir, mais ce n'est jamais le cas. Souvent, je perds le sommeil à cause de tout ça. Dès qu'elle me voit, mon assistante sociale sait que je ne vais pas bien parce que je pense à mon fils. Quand je mange, je me demande ce qu'il a mangé, s'il a assez de nourriture... Je ne peux plus le supporter. Aly souffre, là-bas ; s'il arrive quelque chose, comment ferai-je ?

Quand je parle avec mon enfant, j'ai tout le temps envie de pleurer. J'ai envie de le voir. Si son père était là-bas, je serais moins inquiète, mais il est seul. Ma maman ne vit plus, mon père non plus. Je ne peux pas me rendre là-bas car je suis réfugiée, mais, si j'avais la nationalité française, j'irais le rejoindre discrètement, rien que pour le voir un peu. Mais même pour la nationalité, ce n'est pas possible : on me dit qu'il faut que mon fils arrive d'abord en France !

J'attends l'audience au tribunal. Je veux dire au juge que c'est mon fils, que c'est moi qui lui ai donné la vie, que je l'aime. Je veux lui demander comment il ferait, lui, s'il ne voyait pas son enfant pendant tant d'années. Je suis fatiguée d'attendre. Tout ce qu'ils me demanderont pour faire venir mon fils, je suis prête à le faire. S'ils refusent de le faire venir, ils n'ont qu'à me renvoyer là-bas, je ne peux pas vivre sans lui. Même si je dois mourir en Guinée ! De toute façon, je ne quitterai pas la salle d'audience tant qu'ils ne lui accorderont pas de visa. Ils appelleront la police pour me faire enfermer s'ils le veulent. Je veux que mon fils vienne, je n'en peux plus. Si ce n'était pas mon fils, je ne me fatiguerais pas autant. Vu les difficultés, ça fait bien longtemps que j'aurais arrêté !

Le jour où je retrouverai enfin Aly, je crois que je vais devenir folle. Je ne pourrai pas m'endormir : j'aurai envie de parler avec lui et de le regarder toute la nuit. J'en rêve tellement, je ne sais même pas comment je réagirai. Peut-être que les gens à l'aéroport diront : « J'ai vu une dame aujourd'hui, elle était folle, elle a vu son fils ! » J'attends tellement que ce jour arrive.

Depuis ce témoignage, recueilli le 4 juillet 2012, Djenabou Balde attend toujours d'être convoquée devant le tribunal administratif de Nantes, compétent en matière de visa.

AU PÉRIL D'UNE VIE

Mohamed Ould Dah
Mauritanie

Les militants anti-esclavagistes mauritaniens font régulièrement l'objet de violences, de menaces et de harcèlement judiciaire. Mohamed Ould Dah, touché par des questions de racisme entre la communauté arabo-berbère et la communauté noire-africaine, a fui la Mauritanie en 2008. En 2010, il a cofondé à Paris la section française de l'Initiative pour la résurgence du mouvement abolitionniste (IRA), association maurita-nienne qui combat l'esclavage, officiellement aboli en 1981 mais toujours persistant, et lutte aussi contre les discriminations.

Régulièrement, les militants de l'IRA-Mauritanie sont arrêtés et détenus sous prétexte de troubles à l'ordre public ou de participation à des réunions non autorisées.

Activement impliqué dans les actions de ce mouvement en France, Mohamed Ould Dah devient une figure médiatique connue des autorités maurita-niennes. Craignant plus que jamais de retourner dans son pays, où il sait qu'il sera arrêté, il sollicite l'asile.

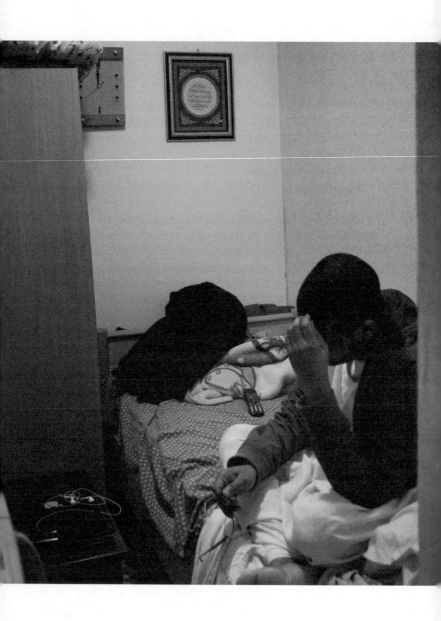

Je suis mauritanien de race noire, celle des descendants d'esclaves affranchis. Mon histoire personnelle m'a conduit à quitter mon pays et, plus tard, à m'impliquer dans la lutte contre l'esclavage et le racisme, qui perdurent dans mon pays. Mon militantisme me ferait courir de grands risques si je repartais en Mauritanie, car je critique ouvertement l'État.

À l'origine, c'est une histoire d'amour impossible qui m'a obligé à fuir. J'ai vécu une longue histoire avec une jeune fille arabe, mais c'était une histoire d'amour qui ne devait pas avoir lieu car elle était arabe et je suis noir. Notre relation était secrète mais, un jour, la famille de mon amie a tout découvert ; plus grave encore, ils ont su que ma compagne était enceinte. J'ai alors été sévèrement menacé par sa famille. La société mauritanienne n'accepte pas ce type de relation. On doit se marier entre nous, on ne doit pas dépasser les frontières qui nous séparent, on ne doit pas casser les murs entre nous... Moi, je voulais briser ce mur, mais cela m'a mis gravement en danger. C'est ce qui m'a obligé à fuir mon pays dans un premier temps. Cette histoire m'a beaucoup affecté et révolté. C'est choquant que le racisme existe à ce point encore.

Par ailleurs, l'esclavage est encore fréquemment pratiqué en Mauritanie : je ne l'accepte pas, je veux que les choses changent. Après mon arrivée en France, je me suis impliqué de plus en plus dans la lutte contre le racisme et l'esclavage. Je me suis investi dans un mouvement associatif créé en Mauritanie par un de mes amis en 2008. Cette association a pris de l'ampleur et nous avons décidé d'ouvrir un bureau en France en 2010, pour faire connaître ces crimes et les faire disparaître. Dès la création de la section française du mouvement, je me suis ouvertement opposé à l'État mauritanien. Nous organisons régulièrement des manifestations, diffusons des informations et alertes sur Internet, et nous avons même occupé pacifiquement l'ambassade de Mauritanie en France pour protester contre l'arrestation de certains de nos collègues au pays.

Les autorités mauritaniennes considèrent notre mouvement comme dangereux, car nous « salissons » l'image du pays. L'État fait tout pour lutter contre nous. Notre président a été arrêté plusieurs fois en 2010, 2011 et 2012. Le pouvoir fait de la propagande auprès du peuple pour nous décrédibiliser. Ils veulent punir tous les militants de notre mouvement. Nous sommes dans une situation très critique.

C'est à nous, en Europe, en France, de relayer le combat pour l'égalité et la justice en Mauritanie afin que notre action ne soit pas réprimée et étouffée en silence là-bas. Le travail de notre mouvement est capital pour faire reculer l'esclavage. C'est pourquoi je m'y investis autant, même si mon action me met en danger.

J'ai été tellement déçu de la décision négative de l'Ofpra ! L'officier de protection reconnaît que je milite pour les droits de l'homme dans mon pays, contre les autorités étatiques, mais il ne me croit pas lorsque je dis que je suis menacé. Il m'a demandé une attestation d'Amnesty International démontrant que je suis bien un défenseur des droits de l'homme menacé. Cela me choque : je suis militant d'une association, je n'ai pas besoin que quelqu'un d'autre l'affirme pour le prouver.

Si la CNDA devait à son tour rejeter ma demande d'asile, ce serait une catastrophe. Je ne l'envisage pas : je ne sais pas si je pourrais encaisser ce type de décision. Quoi qu'il en soit, je n'envisage absolument pas de repartir en Mauritanie.

Depuis ce témoignage, recueilli le 16 mai 2012, la Cour nationale du droit d'asile a rejeté la demande de protection de Mohamed Ould Dah en octobre 2012.

VIVRE EN CLANDESTIN

Malik Bah
Guinée

Après le rejet de leur demande d'asile, les personnes déboutées perdent le bénéfice des droits et aides auxquels elles pouvaient prétendre. Si elles étaient hébergées dans un centre d'accueil de demandeurs d'asile, comme Malik Bah, elles doivent le quitter. Si elles disposaient d'un titre de séjour provisoire, il leur est retiré ; si elles bénéficiaient de l'allocation temporaire d'attente de 330 euros environ par mois, son versement cesse. Les personnes deviennent des sans-papiers, et seuls les dispositifs d'hébergement d'urgence, tel le Samu social (115), peuvent les ac-cueillir. À cette précarité financière et sociale s'ajoute la crainte d'être arrêté et de devoir quitter la France.

Issu d'une famille militante, Malik Bah adhère en 2000 au parti d'opposition de l'Union des forces républicaines de Guinée (UFR). Il est arrêté et détenu plusieurs jours en 2002, 2005 et 2008, subissant mauvais traitements et actes de torture. Lors de sa dernière captivité, il parvient à s'évader en corrompant un gardien. Il fuit alors son pays et arrive en France en juin 2008. Il dépose une demande d'asile qui sera définitivement rejetée en décembre 2009. Pendant sa procédure d'asile, Malik Bah découvre qu'il est atteint d'une grave maladie.

Depuis que je suis en France, je n'ai connu que des difficultés. La première, lorsqu'on arrive et qu'on ne connaît personne, c'est de se repérer et de savoir quoi faire : quand on ne parle pas bien le français, c'est compliqué de savoir comment déposer une demande d'asile. Heureusement, il y a des associations. Moi, c'est le Secours catholique qui m'a expliqué la procédure.

La deuxième difficulté a été ma convocation à l'Ofpra. L'entretien s'est très mal passé. J'avais besoin d'un interprète en langue peule : j'en ai eu un, mais on ne se comprenait pas bien car il était mauritanien et ne parlait pas exactement la même langue que moi. Il a mélangé beaucoup de choses et l'Ofpra ne m'a pas cru. J'ai formulé un recours, mais la CNDA a été d'accord avec l'Ofpra. Ils disent qu'ils ne voient pas en quoi je risque ma vie si je repars en Guinée. Je me suis sauvé d'une prison où j'avais été enfermé à cause de mes activités politiques : comment n'aurais-je pas peur de rentrer ?

Les difficultés ont empiré après le rejet de ma demande d'asile. Déjà, pendant la procédure, alors que j'étais hébergé dans un Cada à Metz, je sentais que j'avais mal partout. J'ai fait plusieurs examens mais les spécialistes m'ont dit que je n'avais rien. Comme cela ne s'arrangeait pas, j'ai dû venir à Paris pour de nouveaux examens. J'ai attendu les résultats des analyses pendant plusieurs mois. Entre-temps, j'ai eu le rejet de la CNDA, et le Cada m'a dit que je devais quitter les lieux. Ils m'ont suggéré d'aller au 115, mais le 115 de Metz m'a dit que je n'étais pas prioritaire. Alors je suis venu à Paris, j'ai essayé de m'en sortir comme je pouvais.

Un jour, je suis tombé sur un homme qui m'a proposé de me faire des papiers. J'ai vécu quelques mois avec un faux titre de séjour, grâce auquel j'ai pu avoir un travail et trouver un logement. Pendant ce temps, ma santé ne s'améliorait pas. J'attendais toujours des nouvelles des médecins, puis le verdict est tombé : hépatite B. Je ne sais pas quand je l'ai attrapée. Au pays, sans doute, avec tout ce que j'ai vécu. C'est sûr que je suis arrivé en France fatigué à cause des mauvais traitements en prison ; j'étais à bout physiquement mais je ne savais pas que j'étais malade. Je devais subir d'autres examens pour connaître le degré de gravité de mon hépatite et le traitement nécessaire. J'ai alors entamé des démarches pour une régularisation à titre médical. Cette maladie est très grave : j'ai besoin de soins que je ne pourrais pas recevoir en Guinée, j'ai donc demandé à rester en France pour y être soigné.

Je me suis retrouvé confronté à la préfecture de Melun. Dans un premier temps, je ne pouvais pas faire cette demande de régularisation car on me disait que j'étais toujours en demande d'asile. J'avais pourtant reçu un rejet, je ne comprenais rien. J'ai montré la décision de rejet, mais la préfecture m'a dit qu'elle ne tenait pas compte de ce que je leur montrais, que l'ordinateur disait que j'étais toujours en attente de la décision de la CNDA et que c'était ça qui comptait ! Ça a duré ainsi plus d'un an, puis, un jour, ils ont enfin décidé de tenir compte de la décision de la CNDA, mais, au lieu d'enregistrer ma demande de titre de séjour pour raison médicale, ils m'ont donné une obligation de quitter le territoire (OQTF) ! Grâce à l'intervention de l'ACAT, la préfecture a finalement accepté d'annuler l'OQTF et de réexaminer ma situation. C'était en juin 2011.

En attendant, ma santé a continué de se détériorer. Comme je n'ai pas de titre de séjour, je me suis enfoncé dans une situation sociale catastrophique. Je n'ai plus de CMU (couverture maladie universelle), une procédure d'expulsion locative a été engagée contre moi, je vais très probablement me retrouver à la rue d'ici peu. Cette situation est problématique pour mes soins. Début 2012, je suis tombé gravement malade : je suis resté chez moi pendant deux mois, je ne pouvais même plus marcher. Je ne savais pas qu'il existait des endroits où on peut se faire soigner même sans CMU. C'est l'ACAT qui m'a donné des adresses d'accueil d'urgence dans des hôpitaux pour les gens qui n'ont pas de Sécurité sociale. Quand je m'y suis présenté, les médecins m'ont dit que j'étais dans un état grave : si je n'y avais pas été, je serais peut-être mort.

La préfecture sait très bien que je suis gravement malade car elle a mon dossier. Mais ils ne font pas attention, ils ne se sentent pas concernés, ils n'écoutent pas les gens... C'est inhumain. J'ai passé des moments vraiment difficiles.

Depuis, malgré de nombreuses relances, la préfecture n'a toujours pas examiné ma demande. Cela fait deux ans et demi que j'ai demandé ma régularisation et j'attends toujours la décision.

Depuis ce témoignage, recueilli le 5 juin 2012,
Malik Bah a obtenu un titre de séjour pour soins
en août 2012, soit deux ans
et huit mois après l'avoir sollicité.

DÉCOURAGEMENT ET ESPÉRANCE

Marc et Solange Mutambo
République démocratique du Congo

Après la prise de pouvoir de Laurent-Désiré Kabila en mai 1997, son principal opposant, Jean-Pierre Bemba, crée en 1998 le Mouvement de libération du Congo (MLC) et son bras armé, l'Armée de libération du Congo (ALC). Cette rébellion, soutenue par l'Ouganda et le Rwanda, prend rapidement le contrôle d'une partie importante du territoire congolais, notamment la région de l'Équateur, dont Bemba[22] est originaire. Le pays est alors divisé de fait entre les zones contrôlées par le gouvernement et celles sous l'emprise de la rébellion. Nombre de violations de droits de l'homme et d'actes de torture sont perpétrés à l'encontre des opposants au régime, des membres de la rébellion ou des personnes considérées comme telles.

L'histoire de Marc et Solange Mutambo est à l'image de celle de leur pays, à la fois complexe et chaotique, et envenimée par les relations tendues entre la RDC et le Rwanda, accusé d'infiltrer le territoire congolais.

---

22. Dans le cadre d'un autre conflit, Jean-Pierre Bemba a été arrêté en Belgique en mai 2008. Il est poursuivi en tant que chef du MLC devant la Cour pénale internationale pour crimes contre l'humanité et crimes de guerre commis entre 2002 et 2003 en République centrafricaine, pays voisin de la province de l'Équateur.

Nous sommes congolais, de la République démocratique du Congo, devenue pour nous un véritable enfer.

Moi, Marc, je suis né en 1965. Mon père était congolais et ma mère rwandaise. J'étais mécanicien et je travaillais au garage du ministère des Travaux publics à Kinshasa. En mai 1998, mes chefs m'ont envoyé quelque temps dans la province de l'Équateur. Mais, après l'arrivée des rebelles de Jean-Pierre Bemba, qui ont conquis la zone la même année, j'ai été bloqué sur place et contraint d'y rester quatre ans. J'ai subi des pressions des hommes de Jean-Pierre Bemba, qui voulaient me réquisitionner comme technicien au service de la rébellion. Je ne voulais pas travailler pour eux, alors j'ai réussi à m'enfuir et à gagner Kinshasa en avril 2002.

À mon retour à Kinshasa, j'ai été arrêté lors d'un contrôle d'identité car les militaires se sont aperçus que je venais des territoires occupés. Ils m'ont pris pour un rebelle, un espion envoyé par les hommes de Jean-Pierre Bemba. Cela a été pire lorsqu'ils ont découvert que ma mère était rwandaise, une ennemie. Mon sort était scellé : j'étais un infiltré rwandais ! Là, mon calvaire a débuté. J'ai été arrêté et détenu arbitrairement pendant deux mois. J'ai subi des tortures de toutes sortes. J'ai bien failli être exécuté. J'ai été sauvé grâce à mon oncle : il a payé ma « rançon » à un policier corrompu qui m'a aidé à m'évader. Tout était prévu pour ma fuite, notamment un faux passeport établi à un nom que je devais apprendre et ne pas oublier. J'ai pris l'avion et débarqué en France, à Roissy, en mai 2002. Quelques jours après, j'ai demandé l'asile.

Pour moi, Solange, les malheurs ont commencé dès l'évasion et le départ de Marc. Très vite, des militaires sont venus me trouver à mon domicile à Kinshasa : ils voulaient que je leur dise où se trouvait mon mari. Pour eux j'étais complice, je savais où il se cachait. Ils me traitaient de collaboratrice de l'ennemi, de traître. Je vendais le pays à l'ennemi. Ils m'ont battue devant mes enfants. Ils m'ont déshabillée et violée à tour de rôle en me disant : « Comme ça, tu mettras au monde des petits Congolais et non pas des Rwandais. » Ils m'ont arrêtée et j'ai été détenue au cachot pendant une semaine, où j'ai subi de nouveaux sévices. Puis j'ai été libérée à condition que je donne des informations sur mon mari dès que j'en aurais. Très vite, en juin 2002, ça a recommencé. Nouvelle visite des militaires, nouveaux coups, nouveaux viols. Les harcèlements étaient incessants. En 2003, j'ai décidé d'aller me réfugier avec nos trois enfants chez ma mère. J'y suis restée une année.

Comme je ne pouvais pas rester indéfiniment chez ma mère, j'ai fini par rentrer chez moi à Kinshasa. Une nuit, en mai 2004, des militaires sont encore venus m'interroger à mon domicile. Ils m'ont menacée de mort si je ne disais pas où se trouvait Marc. Notre maison a été pillée. J'ai été battue devant mes enfants puis de nouveau violée. Les parents de Marc étaient présents. Mon beau-père a été frappé et ma belle-mère, la « Rwandaise », a été abattue devant moi. J'ai été conduite à l'hôpital pour y être soignée, mais, lorsque je suis rentrée à la maison, mon beau-père et les enfants avaient disparu. On ne les a jamais retrouvés. Je pense que les militaires les ont tués.

Ce n'était pas fini. Le 4 juin 2004, j'ai encore été arrêtée en raison des événements qui se déroulaient à l'est du pays. J'ai été détenue au camp Kabila, où j'ai été maltraitée et battue. La question était toujours la même : « Où est ton mari ? » Je ne pouvais plus endurer tout cela. Ça durait depuis trop longtemps. Trop de souffrances. Fin juillet 2004, grâce à l'aide de ma famille, qui a donné de l'argent à l'un de mes geôliers, j'ai pu prendre la fuite. Le 2 septembre 2004, je suis parvenue à gagner la France clandestinement.

À Paris, dans tous nos malheurs, j'ai réussi à retrouver Marc par le biais du Comede (Comité médical d'aide aux exilés). Nous nous étions adressés tous les deux à ce centre sans savoir que l'autre l'avait fait. Nous étions si heureux de nous retrouver en vie, malgré tout ce que nous avions enduré ! Cependant, de nouvelles épreuves nous attendaient en France. En dépit de tous les éléments que nous avions apportés, nos demandes d'asile ont été rejetées par l'Ofpra puis par la Commission des recours des réfugiés (devenue depuis la CNDA) en novembre 2005. Les juges n'ont pas cru à notre histoire, notamment les origines rwandaises de Marc, alors que c'est ce qui nous a tant coûté. C'est ce qui nous a tout coûté... Ils n'ont pas cru non plus aux sévices que j'ai subis. Ces décisions étaient incompréhensibles pour nous et pour les amis français qui nous avaient aidés et soutenus pendant la procédure.

Nos malheurs n'étaient pas terminés. Quatre jours après la décision de la Cour, le 27 novembre, ma mère, mes deux frères et ma sœur ont été assassinés par les militaires qui étaient à notre recherche. Après cet événement dramatique, nous pouvions demander le réexamen de notre demande d'asile. Et c'était à moi d'agir en premier car c'est de ma famille qu'il s'agissait. Mais je n'en ai pas eu le courage : affronter un nouvel entretien à l'Ofpra et une nouvelle audience à la Cour était au-dessus de mes forces. J'avais déjà trop raconté tout ça.

Finalement, après plusieurs péripéties, nous avons été régularisés et avons pu refonder une famille : quatre enfants sont nés en France. Malgré tout, la vie continue.

Témoignage recueilli en janvier 2013.

CONCLUSION
SE DÉFAIRE DES IDÉES REÇUES

Les réfugiés qui se sont livrés ici ont chacun leur histoire particulière. Ils ont vécu différemment l'exil et ont rencontré plus ou moins de difficultés pour gagner la France et obtenir une protection. Par-delà ces différences, que nous enseignent leurs récits ?

D'abord, l'impérieuse nécessité de se défaire des idées reçues : les candidats à l'asile n'ont pas choisi l'exil, pas plus qu'ils n'usent et n'abusent de notre système de protection pour se construire une vie confortable dans l'eldorado Europe. C'est bien contraints qu'ils ont quitté leur pays, parce que leur vie était en danger ou leur dignité bafouée. La fuite et la reconnaissance éventuelle du statut de réfugié les obligent à un deuil douloureux : celui de leur passé, de la famille qu'ils ont laissée derrière eux, d'un pays qui leur est désormais interdit et d'une position sociale qu'ils ne retrouveront guère sur leur terre d'accueil.

Ces témoignages nous enseignent encore qu'il est nécessaire de rompre avec une politique de fragilisation et de stigmatisation des réfugiés. Ces dernières années, des restrictions ont progressivement été imposées à l'exercice effectif du droit d'asile sur l'ensemble du territoire européen. Les conditions d'accueil plongent souvent les réfugiés dans une grande précarité, et les modalités d'examen de leur demande d'asile en France les exposent au risque d'être renvoyés vers de nouvelles persécutions parce que les dangers qu'ils encourent auront été mal évalués.

Ces récits nous disent enfin combien il est urgent d'améliorer le système censé protéger ces hommes et ces femmes. Certes, il octroie des milliers de protections chaque année, mais il soumet aussi les candidats à l'asile aux pratiques illégales des préfectures, à l'aléa et à la suspicion des organes de protection et à un labyrinthe de démarches administratives, sociales et juridiques qui les accablent.

Pour porter ce changement, l'ACAT milite pour :
– un accueil juste et équitable des demandeurs d'asile sur le territoire européen ;
– des conditions matérielles d'accueil des réfugiés respectueuses de leur dignité ;
– des procédures de traitement des demandes d'asile qui ne soient pas expéditives, garantissant qu'une personne ne puisse pas être refoulée vers un pays où elle risquerait d'être torturée ou maltraitée ;
– une réforme de la procédure de réunification familiale des réfugiés qui leur permette d'accéder plus facilement au droit de vivre en famille en France et de s'y reconstruire.

REPÈRES CHRONOLOGIQUES

En France, le droit d'asile repose à la fois sur des textes internationaux, des textes communautaires adoptés au sein de l'Union européenne et naturellement des textes français. Depuis 2005, les règles du droit d'asile applicables en France sont pour l'essentiel regroupées dans le Code de l'entrée et du séjour des étrangers et du droit d'asile (Ceseda). Seules les principales dates clés en matière d'asile sont ici mentionnées.

2 novembre 1945 : ordonnance n° 45-2658 relative aux conditions d'entrée et de séjour des étrangers en France et portant création de l'Office national d'immigration.

14 décembre 1950 : création du Haut-Commissariat des Nations unies pour les réfugiés (HCR).

28 juillet 1951 : adoption au sein des Nations unies de la Convention relative au statut des réfugiés. La Convention laisse aux États le soin d'organiser la procédure d'examen des demandes d'asile.

25 juillet 1952 : mise en place en France d'un système d'asile avec la loi n° 52-893 créant l'Office français de protection des réfugiés et apatrides (Ofpra) et la Commission des recours des réfugiés. L'Ofpra est rattaché au ministère des Affaires étrangères.

31 janvier 1967 : adoption au sein des Nations unies du protocole de New York, qui étend la définition du réfugié sans limitation temporelle ni spatiale.

15 juin 1990 : adoption de la convention de Dublin, qui détermine le pays européen responsable du traitement de la demande d'asile pour chaque candidat à l'asile.

11 mai 1998 : réforme du droit d'asile en France, par la loi n° 98-349 relative à l'entrée et au séjour des étrangers en France et au droit d'asile. Elle consacre le droit à une protection pour les « combattants de la liberté » en référence à la Constitution française. Elle introduit la notion d'« asile territorial » pour les étrangers menacés dans leur vie ou leur liberté, ou exposés à la torture ou à des mauvais traitements dans leur pays. Cette protection est accordée par le ministère de l'Intérieur et non par l'Ofpra.

11 décembre 2000 : création de la base de données Eurodac par le règlement européen n° 2725/2000 du Conseil de l'Union européenne. Cet outil est créé pour l'application de la convention de Dublin de 1990. Les empreintes digitales des candidats à l'asile sont relevées lors de leur passage en Europe et conservées dans cette base de données.

18 février 2003 : règlement européen n° 343/2003, dit Dublin II, adopté par le Conseil de l'Union européenne. Il remplace la convention de Dublin de 1990.

22 septembre 2003 : directive européenne 2003/86/CE, adoptée par le Conseil de l'Union européenne au sujet du droit au regroupement familial, avec plusieurs dispositions concernant les réfugiés.

10 décembre 2003 : réforme du droit d'asile en France par la loi n° 2003-1176 modifiant la loi de 1952. Cette loi transpose par anticipation la directive européenne de 2004 concernant les normes minimales relatives aux conditions que doivent remplir les ressortissants des pays tiers ou les apatrides pour pouvoir prétendre au statut de réfugiés (ou les personnes qui, pour d'autres raisons, ont besoin d'une protection internationale) et relatives au contenu de ce statut.

La protection subsidiaire remplace l'asile territorial et est accordée par l'Ofpra. Les violences des acteurs privés sont prises en compte. La loi permet de rejeter une demande de protection dès lors que les candidats à l'asile peuvent être en sécurité sur une partie du territoire de leur pays, ce que l'on nomme « l'asile interne ».

La loi élargit la composition du conseil d'administration de l'Ofpra pour y inclure des parlementaires et des personnalités ainsi que la présence du HCR.

24 juillet 2006 : réforme du droit d'asile en France par la loi n° 2006-911 relative à l'immigration et à l'intégration. La loi confie à l'Ofpra l'établissement de la liste des pays d'origine considérés comme sûrs.

20 novembre 2007 : réforme du droit d'asile en France par la loi n° 2007-1631 relative à la maîtrise de l'immigration, à l'intégration et à l'asile. L'Ofpra est désormais placé auprès du ministre en « charge de l'asile », qui, jusqu'en 2010, était le ministère spécifique de l'Immigration, puis, à compter de 2010, le ministère de l'Intérieur. Son fonctionnement est également réorganisé. La Commission des recours des réfugiés devient la Cour nationale du droit d'asile (CNDA), afin de marquer davantage son caractère juridictionnel.

16 juin 2011 : la loi n° 2011-672 relative à l'immigration, à l'intégration et à la nationalité étend les possibilités pour les préfectures de placer les candidats à l'asile en procédure « prioritaire ». Elle restreint l'accès à l'aide juridictionnelle devant la CNDA pour ceux qui demandent le réexamen de leur dossier après un premier rejet.

2013-2015 : projet de réforme en France du droit d'asile. Dans le cadre de l'instauration d'un régime d'asile européen commun (Raec), plusieurs textes européens traitant de l'asile sont en cours de refonte ou déjà modifiés. Les États doivent les incorporer dans leur droit interne ou les appliquer. Il s'agit de :

– la directive dite qualification (2011/95/UE) du Parlement européen et du Conseil du 13 décembre 2011,

– la directive dite procédure relative aux procédures d'octroi et de retrait de la protection internationale,

– la directive dite accueil relative aux conditions d'accueil des candidats à l'asile,

– les règlements Dublin et Eurodac.

REMERCIEMENTS

Merci à Atiq Rahimi, qui a eu la gentillesse de nous permettre de recueillir ses propos.

Merci à tous ceux qui ont accepté de témoigner pour ce livre.

Merci à Florence Boreil, Aline Daillère, Séverine Durand, Alain Gleizes, Jean-Étienne de Linares, Cécile Marcel, Olivia Moulin, Coralie Pouget et Céline Roche pour leur participation à l'élaboration de ce livre.

Cet ouvrage a été réalisé avec l'aide financière de l'Union européenne.
Son contenu relève de la seule responsabilité de l'ACAT et ne peut en aucun cas être considéré comme reflétant la position de l'Union européenne.

Sites : www.acatfrance.fr ;
www.unmondetortionnaire.com
Adresse : ACAT, 7, rue Georges-Lardennois, 75019 Paris
Contact : acat@acatfrance.fr

QU'EST-CE QUE L'ACAT ?

L'ACAT (Action des chrétiens pour l'abolition de la torture) est une organisation chrétienne de défense des droits de l'homme créée en 1974 et reconnue d'utilité publique.
Forte de trente-six mille membres (adhérents et donateurs), elle a pour objectifs de :
– combattre partout dans le monde les peines ou traitements cruels, inhumains ou dégradants, la torture, les exécutions capitales judiciaires ou extrajudiciaires, les disparitions, les crimes de guerre, les crimes contre l'humanité, les génocides ;
– assister les victimes de tous ces crimes et concourir à leur protection, notamment par la défense du droit d'asile et une vigilance à l'égard des renvois dangereux.

Chaque année, l'ACAT :
– mène des enquêtes de terrain, effectue des recherches et publie des rapports sur le phénomène tortionnaire dans le monde et dans un certain nombre de pays ;
– intervient dans soixante-dix pays pour près de quatre cents personnes victimes de violations des droits de l'homme et contribue à leur libération ou à l'arrêt de leurs sévices ;
– accompagne plus de deux cents candidats à l'asile et réfugiés venus chercher protection en France ;
– assiste les victimes dans leurs démarches pour obtenir justice auprès des tribunaux nationaux ou des instances internationales ;
– mène des actions et campagnes de plaidoyer aux niveaux national et international ;
– informe et éduque sur la situation des droits de l'homme en France et dans le monde, notamment à travers la publication de son magazine bimestriel, *Le Courrier de l'ACAT*.

Achevé d'imprimer en mai 2013 par Espace Grafic
Pol. Ind. Mutilva Baja C/G n° 11 – 31192 Mutilva Baja – Espagne
Dépôt légal : juin 2013